DES LÉGUMES

DU MÊME AUTEUR

Les Médicaments, collection « Microcosme », Seuil, 1969.

Évolution et Sexualité des plantes, Horizons de France, 2ᶜ éd., 1975 (épuisé).

L'Homme renaturé, Seuil, 1977 (Grand Prix des lectrices de *Elle*. Prix européen d'Écologie. Prix de l'académie de Grammont) (réédition 1991).

Les Plantes : amours et civilisations végétales, Fayard, 1980 (nouvelle édition revue et remise à jour, 1986).

La Vie sociale des plantes, Fayard, 1984 (réédition 1985).

La Médecine par les plantes, Fayard, 1981 (nouvelle édition revue et augmentée, 1986).

Drogues et Plantes magiques, Fayard, 1983 (nouvelle édition).

La Prodigieuse Aventure des plantes (avec J.-P. Cuny), Fayard, 1981.

Mes plus belles histoires de plantes, Fayard, 1986.

Le Piéton de Metz (avec Christian Legay), éd. Serpenoise, Presses universitaires de Nancy, Dominique Balland, 1988.

Fleurs, Fêtes et Saisons, Fayard, 1988.

Le Tour du monde d'un écologiste, Fayard, 1990.

Au fond de mon jardin, Fayard, 1992.

Le Monde des plantes, collection « Petit Point », Seuil, 1993.

Jean-Marie Pelt

DES LÉGUMES

Fayard

« "Pendant une dizaine de jours seulement, nous ne mangerons que des légumes et ne boirons que de l'eau. Tu verras à nos mines si nous nous portons aussi bien que les jeunes gens nourris à la cour. Puis tu agiras d'après ce que tu auras observé." La proposition est acceptée. Les dix jours passés, on constate que leur mine et leur santé sont plus resplendissantes que celles de tous les autres jeunes gens de la cour. Dès lors, le responsable leur supprime la nourriture et le vin de la table du roi pour ne plus leur donner que des légumes. »

Daniel, 1/12-16.

INTRODUCTION

Les légumes sont à la mode. D'importantes expositions viennent de leur être consacrées, notamment au Muséum national d'histoire naturelle, et plusieurs ouvrages les concernant ont été récemment publiés.

Pourtant, les légumes sont consommés depuis la nuit des temps, et chacun d'eux a sa propre histoire. C'est de cette histoire que l'on traitera ici en tentant de situer les productions maraîchères contemporaines dans la continuité des processus historiques qui ont fait d'herbes sauvages les plantes potagères que nous connaissons aujourd'hui. On trouvera aussi dans cet ouvrage une série de monographies, ainsi que des considérations générales sur le passé, le présent et le futur de ces éléments fondamentaux de l'alimentation humaine que sont les légumes.

À l'heure où la demande calorique et énergétique de l'homme tend à diminuer en raison de conditions de vie et de travail moins rudes, la consommation des légumes s'inscrit dans les multiples stratégies d'« allégement » de la ration alimentaire. Sans doute est-ce là ce qui explique l'intérêt tout neuf qu'on leur porte.

Mais il y a légume et légume, et l'apparence ne suffit pas à juger de la qualité des productions. En réalité, celle-ci a souvent diminué avec la généralisation de l'agriculture intensive à forte charge chimique. Aussi convient-il d'appréhender les légumes en perspective et en prospective, en fonction de leur nécessaire valorisation par l'amélioration des pratiques culturales.

Gageons que les légumes de demain seront plus riches en vitamines et en nutriments, sans pour autant perdre ces qualités externes que leur ont conférées des siècles et des siècles de sélection attentive !

Ici comme ailleurs, la modernité a provoqué une rupture avec des traditions souvent millénaires. C'est de l'heureux mariage entre innovation et tradition que naîtront, soyons-en sûrs, les légumes de demain, aussi délectables à la vue et au goût que ceux d'aujourd'hui, mais enrichis en vitamines et en éléments indispensables aux grands équilibres qui fondent la santé de l'homme.

J.-M. Pelt, octobre 1992.

PREMIÈRE PARTIE

Des herbes sauvages aux légumes

CHAPITRE PREMIER

Les légumes à travers l'histoire

L'histoire des légumes est aussi ancienne que celle de l'alimentation humaine. L'homme n'est-il pas cet animal singulier qui, à la différence de la plupart des autres, est omnivore et, à la différence de tous les autres, cuit ses aliments ? Pour ce faire, il utilise des pots, d'où le nom de plantes *potagères* donné aux légumes. Il en sort des soupes ou « potages », mais aussi des « épinards » qui, avant de désigner le légume ainsi qualifié aujourd'hui, désignaient une multitude de plantes dont les feuilles cuites sont comestibles : chénopodes, amarantes, arroches, etc. Mais il y a aussi les légumes crus, dont certains sont conservés par fermentation en tonneau, tels les bortschs composés de différentes herbes et de betteraves rouges ; telle aussi la choucroute à base de chou pommé, originaire des peuples slaves.

D'abord les légumes secs

La domestication des plantes sauvages remonte aux origines de l'agriculture, il y a de dix à douze mille ans. On sait aujourd'hui que l'agriculture est née parallèlement en différentes régions du globe : Proche-Orient pour ce qui nous concerne plus directement, mais aussi Asie du Sud-Est et Amérique centrale. Une histoire qui s'écrit à partir de deux types de documents : les vestiges archéologiques exhumés des fouilles, et les documents écrits soumis à la sagacité des historiens. Mais, malgré ces sources relativement abondantes, de nombreux épisodes de l'histoire des fruits et légumes n'ont point été conservés ; ils ont traversé les mailles du tamis de l'histoire sans laisser de traces.

Dans son *Histoire des légumes*, citée par Chauvet, Gibaud remarquait à ce propos : « Depuis le point initial de leur mise en culture jusqu'au moment présent, combien d'étapes parcourues dont le souvenir est à jamais perdu... On aurait désiré pouvoir les suivre dans leurs migrations chez les différents peuples, voir leurs transformations successives sous l'influence du changement de milieu, assister à la naissance des variétés de plus en plus améliorées par le fait de la sélection naturelle ou par la main intelligente de l'homme. Une telle histoire complète des végétaux cultivés, si elle était possible, serait en même temps une véritable histoire de la civilisation[1]. » Faute d'une telle « histoire », il convient de se satisfaire de quelques faits saillants qui en constituent la trame.

Dès la préhistoire, et sans doute avant l'arrivée des céréales, les légumineuses affirment leur primauté : lentille, pois chiche, gesse et pois sont à la fois, chronologiquement, les premiers légumes et, étymologiquement, les véritables légumes. Véritables légumes, car leurs graines sont contenues dans une gousse ou *légume*, fruit spécifique de la vaste famille des légumineuses. Ainsi, les légumes secs issus des gousses de légumineuses — famille botanique aujourd'hui qualifiée, conformément à la nomenclature internationale, de fabacées — sont les « vrais légumes » au sens propre du terme. C'est par extension que le mot « légume » recouvre toute une série d'autres aliments végétaux, même lorsqu'ils ne proviennent pas des légumineuses.

Les fèves ou féveroles, légumes au sens strict elles aussi, puisque issues de la famille des Fabacées, arrivent plus tard, alors que l'on note déjà dans les fouilles archéologiques une nette baisse de fréquence des graines de légumineuses, concurrencées par l'orge et le blé qui envahirent la France il y a six mille ans. Il n'empêche que les lentilles restent le légume fondamental du monde gallo-romain, avant de subir un curieux déclin au

1. Michel CHAUVET, « L'histoire des légumes », in *La Diversité des plantes légumières, hier, aujourd'hui et demain*, Lavoisier, 1986.

Moyen Âge au profit de la fève et du pois, dont l'usage s'étend progressivement jusqu'au xve siècle.

Mais ces légumes-là sont peu cités dans les actes de redevance où figurent les transactions et les dettes en nature ; sans doute parce que, s'ils forment la base de l'alimentation végétale des petites gens, ils ne sont guère prisés sur la table des grands (au demeurant, les autres légumes le sont bien moins encore). De fait, si les légumineuses sont toujours présentes dans les restes végétaux retrouvés sur des sites néolithiques, elles sont en revanche passées sous silence dans les textes. C'est dire le peu de cas qu'on en fait. Verts ou secs, les légumes constituèrent de tout temps l'alimentation des humbles, et furent peu recherchés des élites sociales qui se nourrissaient surtout de viande. Même distinction pour les boissons : le vin dans les classes nobles ; l'eau, le cidre, la bière aux manants.

À chacun ses légumes

C'est que, en effet, le microcosme reflétant le macrocosme, la hiérarchie des aliments coïncide avec la hiérarchie des sociétés : comme l'animal prime le végétal, la viande prime le légume ; de même, le noble à cheval prime le paysan à pied ou le serf fouisseur de terre par ce qu'il est et par ce qu'il mange. Il est donc nécessaire et il suffit, pour comprendre les pratiques alimentaires du temps, de reconstituer la hiérarchie primordiale : comme l'air prime la terre au sein des quatre éléments, ce que les blasons expriment par leur fond d'azur, de même les oiseaux représentent-ils une nourriture particulièrement prisée. Viennent ensuite les animaux mobiles et terrestres, qui priment à leur tour les légumes immobiles et enracinés. Parmi ceux-ci, on prisera davantage ceux qui portent des fruits en l'air que ceux dont on consomme les organes souterrains. Foin donc des raves, des aulx, des poireaux, des oignons et échalotes ! Dans une nouvelle de l'auteur italien Sabadino Degliairenti, un riche terrien se fait voler des pêches à plusieurs reprises (il s'agit d'un fruit noble qui pousse en l'air) ; il organise la surveillance de son verger et sa vigilance est bientôt récompensée : il surprend le paysan voleur, qu'il condamne en ces termes révélateurs : « Une autre fois, laisse les fruits des gens comme moi, et mange ceux des tiens, c'est-à-dire les raves, l'ail, les poireaux, les oignons, les échalotes... »

Tous ces légumes sont cultivés au jardin et non dans les champs, lieu ouvert où l'on cultive les céréales ; le jardin, au contraire, est un lieu clos par un mur, presque intime, proche des habitations, où se pratique une culture de subsistance. Si l'aliment fondamental de toutes les classes sociales est d'abord le pain, les légumes du potager en constituent l'indispensable complément.

Les jardins les plus célèbres de l'Antiquité, les jardins suspendus de Babylone, étaient en fait des potagers et des vergers. On y cultivait concombres, courges, aubergines, oignons, lentilles, pois chiches, et même des céréales, dont le riz.

L'Égypte ancienne pratique la culture par irrigation : l'eau des crues du Nil, stockée dans des puits, est répandue dans de nombreuses rigoles qui se coupent à angle droit, divisant le jardin en petits carrés. Dans ces carrés poussent des poireaux, des laitues non pommées, des concombres, des radis, des melons, des aulx et des oignons... L'Égyptien n'a jamais trop d'oignons, car ceux-ci forment, avec le pain, la base de son alimentation.

Faire son marché à Athènes...

Georges et Germaine Blond[1] ont reconstitué le marché d'Athènes qui se tenait sur l'Agora : « Les marchands proposaient des courges, des potirons, des radis, des concombres, de la roquette, du pourpier, des choux, des carottes sauvages, des poireaux, des oignons, des champignons, des truffes, des asperges. Ces "asperges" n'étaient pas celles que nous connaissons, mais tous les légumes consommés sous forme de tiges, notamment les laitues... Il y avait trois variétés de choux de vertus différentes, et le chou bouilli passait pour une panacée : appliqué en cataplasme, il arrêtait les convulsions, guérissait des morsures de taupes et de chiens enragés. Les raves macérées dans du vinaigre servaient à réveiller l'appétit et la soif à la fin des banquets ; le raifort était aphrodisiaque,

1. Georges et Germaine BLOND, *Festins de tous les temps. Histoire pittoresque de notre alimentation*, Fayard, 1976.

comme la laitue et la roquette. Les fèves d'Égypte se mangeaient vertes ; mûres, elles servaient de bulletins de vote ! On trouvait aussi sur le marché des lentilles. On y vendait la volaille : pintade, faisan domestique, coq de Perse, paon, pigeon, canard et oies engraissées. » Mais c'étaient là des mets de choix, auxquels les classes les plus pauvres n'avaient pas accès. De plus, l'exode rural sévissait déjà fortement et beaucoup de terres étaient laissées à l'abandon, aggravant la pauvreté des campagnes. De sorte que les moins fortunés devaient se contenter de bouillies de céréales et de galettes.

... et à Rome

Les auteurs déjà cités ont également reconstitué les Halles romaines : « Au centre du Forum, une statue équestre ; partout des statues, des sculptures, des ornements, mais voici ce qui, plus que tout, ici nous intéresse : un hémicycle de brique aussi vaste que la basilique, plus haut qu'elle, et aussi majestueux que tous ces monuments : les Halles centrales. Oui, dans ce quartier et, en vérité, elles ne déparent pas l'ensemble ! Mais entrons ! Au rez-de-chaussée, le pavillon des légumes. Les monuments de choux, de laitues pommées, de laitues montées, dites romaines, de poireaux, de raves, de carottes, de concombres, sont disposés aussi régulièrement et aussi artistiquement qu'aux Halles de Rungis ; nous avons peine à reconnaître les melons, parce qu'ils sont petits comme des oranges, mais, par contre, il y a des courges et des citrouilles de toutes tailles, et des asperges d'un tiers de livre. Des alignements de grands paniers contiennent des lentilles, des pois de plusieurs espèces, des châtaignes. Des oignons pendent du plafond par bottes de cinquante ; des dizaines et des dizaines de barils d'olives superposés forment de longs couloirs. Des champignons sont soigneusement étalés sur des claies et, l'hiver, on voit souvent là d'autres champignons, les plus précieux : les truffes... »

Les potées médiévales

Charlemagne, dans le célèbre capitulaire *De villis*, prescrit en 812 la culture dans tous les jardins impériaux de quatre-vingt-dix plantes nommément désignées. Ce texte a favorisé la dissémination d'espèces potagères d'origine méditerranéenne dans toute l'Europe. Vers la fin du Moyen Âge, les cultures potagères cessent d'être l'apanage des jardins monastiques et royaux et pénètrent progressivement dans l'alimentation des petites gens. En effet, jusque-là, l'éventail des espèces cultivées dans les jardins des pauvres était très limité : choux et betteraves, radis noirs, carottes.

Quant aux mets servis lors des festins carolingiens, voici, par exemple, le menu de l'un d'eux tel que le rapportent Georges et Germaine Blond. *1er service :* salade de mauve et de houblon, herbes potagères et légumes destinés à exciter l'appétit ; *2e service :* profusion de viandes de porc et de gibier placées en pyramides sur des pains ronds ; *3e service :* pâtisseries et fruits, vins divers, dont un vin de Champagne qui commençait à être apprécié.

Les éléments à partir desquels les cuisiniers du Moyen Âge élaborent leurs plats sont relativement limités. Les légumes sont rares et grossiers ; les vastes cultures maraîchères qui mettaient sur la table des riches Romains et Gallo-Romains des variétés délicates et nombreuses ont disparu. Survivent les pois, toujours farineux, les fèves, les courges, les poireaux, les choux et les bettes ; tout cela est uniquement bouilli ; en plus, quelques salades et herbes préparées à la vinaigrette. C'est tout et c'est peu ! Le Moyen Âge qualifiait invariablement de *potage* tout ce qui était cuit au pot, c'est-à-dire non rôti. Ainsi mettait-on au pot la viande ou le poisson dans une assez grande quantité d'eau, avec des pois, des fèves ou des choux, ou plusieurs légumes ensemble. Plats que nous appelons aujourd'hui encore des soupes ou, mieux, des potées.

Les légumes de la Renaissance ou... la renaissance des légumes

Avec la Renaissance, tout change. L'engouement pour l'Italie fait venir les légumes verts sur les tables princières. Si la plupart des légumes étaient déjà cultivés en France, ils n'apparaissent qu'alors dans les livres de cuisine ou de redevance, comme si les élites sociales n'y avaient pris goût qu'à la faveur des influences italiennes. Les racines, les bulbes, les champignons, jusque-là considérés comme vulgaires du fait qu'ils se développent dans la terre, finissent eux aussi par s'imposer. Ayant besoin d'eau, ces légumes étaient cultivés dans les marais périurbains où chaque famille urbaine possédait un lopin — d'où les termes de maraîchage et de maraîcher. Les maraîchers approvisionnent les marchés publics ; ces marais, proches des villes, constituèrent leur première ceinture verte. À Paris, les productions étaient acheminées aux Halles, construites par Philippe Auguste. Très vite, on rencontra là, outre les commerçants parisiens, ceux de Saint-Denis, de Gonesse, de Pontoise, de Beauvais et même de Bruxelles et de Louvain ; ils y avaient leurs emplacements loués et réservés. Détail piquant : depuis Saint Louis, un étal gratuit était réservé aux filles pauvres à marier, pourvu qu'elles fussent légitimes et de bonnes vie et mœurs !

Comme le Tout-Paris défilait aux Halles, la justice du roi s'y montrait. Au centre du quartier de la Poissonnerie se dressait le pilori. Le pilori n'était pas un instrument de supplice, mais une machine de bois à pivot où l'on attachait — on ne « clouait » pas au pilori — les banqueroutiers et les fraudeurs. Cette machine était placée à l'intérieur d'une petite tour octogonale percée de fenêtres par lesquelles on pouvait voir le condamné. Cette démonstration avait lieu trois fois par semaine, deux heures chaque fois. Un habitué des Halles était reconnaissable de loin à son costume jaune et orange : c'était le bourreau. Il faisait le vide autour de lui lorsqu'il s'avançait parmi la foule, mais il était là chez lui, locataire à demeure de la maison du pilori.

L'horticulture à Versailles

Après la Renaissance, le Grand Siècle ! La Quintinie nous a laissé la liste complète des légumes cultivés au potager du roi à Versailles à la fin du XVIIᵉ siècle. De cette liste, une bonne vingtaine d'espèces ne sont plus en usage de nos jours, tels les plantains, les oxalis, le cardon, etc. On note, par ailleurs, l'absence de toutes les espèces originaires d'Amérique, à l'exclusion du topinambour ; mais la tomate et la pomme de terre n'y figurent pas, tant il est vrai que les légumes américains mirent beaucoup, beaucoup de temps à s'imposer ! En revanche, on constate à cette époque une réelle révolution dans les techniques : l'utilisation du fumier de cheval chaud, des cloches de verre et des châssis vitrés permettait dès lors d'obtenir des légumes hors saison, comme asperges, laitues, cerfeuil, cresson, oseille, fraises, melons, concombres et petits pois. On voit même apparaître la serre, qualifiée d'*étuve*, dans laquelle on cultive un pied de café offert à Louis XIV en 1714 par le bourgmestre d'Amsterdam à l'occasion du traité d'Utrecht. Orangeries et serres restent cependant l'apanage de quelques privilégiés. Il faudra attendre le début du xxᵉ siècle pour que les serres affirment leur vocation commerciale, relayées à partir des années 1960 par les cultures sous plastique.

Le roi voulait des asperges en décembre, des fraises en avril, des petits pois en mai, des melons en juin. Cela n'avait jamais été obtenu à l'époque, mais c'était possible. Les serres, les cloches de verre, le fumier, le marnage, l'arrosage, le binage, combinés sous la direction de La Quintinie, firent venir ces végétaux aux époques voulues par le roi : six variétés de fraises, sept de melons, et des laitues pommées en mars, et des concombres au début d'avril !

Le chou-fleur n'est pas aujourd'hui un légume de réception. Sous Louis XIV, il faisait figure de nouveauté intéressante. Les Génois l'avaient fait venir du Proche-Orient. En France, on ne savait pas encore obtenir de sujets porte-graines, et La Quintinie commandait ses graines de chou-fleur à Chypre. Des correspondants résidant en Espagne et en Italie lui envoyaient des graines d'autres espèces de choux. La scorsonère, spontanée dans le midi de la France et le sud de l'Europe, constituait également une nouveauté non méprisée à Versailles, ainsi que le cardon, arrivé d'Italie avec l'artichaut. Cardon et artichaut dérivaient du même ancêtre. On obtenait le cardon lorsqu'on cultivait la plante en vue de manger la côte des feuilles, et l'artichaut en développant les fleurs, puisqu'il s'agissait de consommer la base charnue des bractées qui les entourent. Le concombre, déjà présent sur le sol de l'Europe préhistorique, n'avait rien d'une nouveauté, mais le roi en voulait.

Le jardin potager contenait encore bien d'autres légumes d'Europe occidentale. Signalons seulement la présence de l'épinard, répandu en Europe méridionale par les Arabes au XIIe siècle ; de l'oseille, connue dans toute l'Antiquité ; des aubergines, originaires de l'Inde ; du haricot, venu d'Amérique.

Les salades du jardin royal, cultivées en primeurs, n'étaient pas moins tendres que les nôtres et on les mangeait beaucoup plus parfumées qu'aujourd'hui : à l'estragon, à la pimprenelle, au fenouil, au basilic et autres « herbes à fourniture », parfois même à la violette. Mais le roi des légumes royaux, la « coqueluche » potagère, si l'on ose dire, de Versailles, c'était le petit pois. Le petit pois vert apporté d'Italie par Audiger en 1660 est trouvé délectable par Louis XIV au premier essai. Cette faveur avait déclenché un emballement, un véritable snobisme.

La réhabilitation des légumes

L'époque de Louis XIV est celle qui réhabilite les légumes. Lorsque le sieur de La Varenne fit paraître en 1661 *Le Cuisinier français*, il indiqua dans la préface de son livre qu'il proposait des menus simples à l'usage des « ménages de dépense modérée », la préparation de « mille sortes de légumes [...] qui se trouvent à foison dans la campagne ». L'intérêt porté aux légumes au sein de la classe moyenne était, pour l'époque, proprement révolutionnaire. Les légumes avaient enfin conquis droit de cité.

Mais en 1654 était déjà paru un autre ouvrage, *Les Délices de la campagne*, signé Nicolas de Bonnefons, valet de chambre du roi. L'auteur consacrait toute la première partie de son livre aux racines. Or, à cette époque, les racines étaient encore ce qu'il y avait de pire au monde, à peine bonnes à manger en cas de famine, juste avant d'avoir recours à la terre ! Or Bonnefons les réhabilitait, désignant nommément les carottes, panais, salsifis, scorsonères, betteraves, raves, navets, topinambours (qu'il appelait pommes de terre). Mais de la vraie pomme de terre, il n'était pas encore question.

Le XIXe siècle apporte d'ultimes découvertes ou redécouvertes : la transformation de l'ache des marais, employée dès l'Antiquité comme condiment, aboutit à deux légumes, le céleri-rave et le céleri branche. La culture du cresson revêt une grande extension : au début de ce siècle, on dénombre pas moins de 3 000 cressonnières dans la seule région parisienne. Même emballement pour la culture de la mâche et du pissenlit, dont on fait blanchir les feuilles par buttage ou par culture à l'obscurité. Les haricots verts, à gousses sans parchemins, apparus au début du XVIIIe siècle, connaissent un extraordinaire engouement. Les champignons prennent une place importante dans la cuisine, et le champignon de Paris, cultivé dans des carrières à l'abri de la lumière, est en plein essor.

Dans le même temps, pommes de terre, navets, carottes et choux, légumes que l'on cultivait jusque-là à la bêche, sont désormais exploités à la charrue. Ils migrent des jardins vers les champs et sont produits à bien meilleur marché. On lit, dans le *Dictionnaire universel Larousse*, que la consommation de légumes secs à Paris est tombée, de 1837 à 1853, de 180 000 à 106 000 hectolitres, tandis que la population passait de 900 000 à plus d'un million d'habitants. Cette diminution est due aux progrès de la culture maraîchère et à la bonne conservation hivernale des pommes de terre.

L'usage des transports frigorifiques permet aujourd'hui la culture des légumes loin des lieux de consommation, donc l'organisation du maraî-chage dans de vastes champs où les légumes sont cultivés à grande échelle au même titre que les céréales. Dernier avatar du progrès technologique, la culture des légumes fait aujourd'hui l'objet d'une production de masse.

Arrivés les derniers sur la table des banquets, après les céréales et les légumineuses fournisseuses de légumes secs, les légumes verts, moins riches en substances nutritives, sont parvenus les derniers sur les marchés ; jadis, ils ne provenaient que de la cueillette et ils n'ont connu que tardivement l'honneur d'être cultivés. De surcroît, la liste des espèces cultivées était au départ fort limitée :

Des légumes

Virgile n'a recensé dans les jardins de l'empereur Auguste que le chou, la carotte, l'ail, la laitue, le radis noir, la bette, le concombre et l'oseille. Assortiment somme toute un peu insuffisant pour un aussi haut personnage !

CHAPITRE II

De la plante sauvage à la plante cultivée

À considérer les ancêtres sauvages de nos légumes familiers, une indéchiffrable énigme se pose : comment a-t-on pu transformer à ce point la maigre racine blanchâtre de la carotte sauvage en une carotte rouge, volumineuse et trapue ? Comment les premières tomates sud-américaines, aux fruits pas plus grands qu'une cerise, ont-elles donné nos modernes tomates aux fruits juteux et opulents ? Comment les choux sauvages des bords de la Manche et de l'Atlantique ont-ils bien pu engendrer la généreuse descendance des choux cavaliers et des choux pommés, des choux-fleurs et des choux de Bruxelles, des choux-raves et des choux de Milan ? Bref, comment est-on passé de la plante sauvage à la plante cultivée ? Comment améliore-t-on les plantes pour en faire des légumes ?

À l'origine, l'homme se nourrissait des produits de la chasse et de la cueillette ; il récoltait dans la nature de nombreuses espèces de plantes sauvages. Jusqu'au jour où, à l'aube de l'agriculture, l'idée lui vint de les cultiver en peuplements denses.

Sans doute avait-il observé ceux qui se formaient aux abords des habitations, là où s'accumulent les déchets de toutes sortes, notamment les restes de plantes de cueillette dont les fruits et les graines redonnaient d'abondants peuplements spontanés sur ces terreaux fertiles. Bref, la culture s'effectuait spontanément sur les décharges.

Prenez-en de la graine

Les premiers agriculteurs ne tardèrent pas à discerner dans ces nouveaux peuplements des dissemblances entre individus, en même temps que la ressemblance des descendants avec leurs parents — observations également valables pour le règne animal et pour le monde humain. D'où l'idée de retenir les meilleurs individus, ceux qui présentent les caractères favorables les plus marqués, en vue d'engendrer une descendance améliorée. Ne dit-on pas « prenez-en de la graine » à propos d'un acte exemplaire dont on veut qu'il se reproduise ? Ainsi « prit-on de la graine » des plantes présentant les caractères les plus favorables et les multiplia-t-on de la sorte. Priorité était donnée aux plantes dont les fruits, les graines, les tiges, les feuilles, les racines et les bourgeons, selon les cas, présentaient les plus grosses tailles ou les meilleures qualités alimentaires. De même décida-t-on d'écarter toute plante toxique, désagréable au goût ou pourvue d'organes gênants pour la consommation, tels qu'épines et poils. Ainsi, de génération en génération, récolta-t-on les graines des meilleurs individus, pratiquant ce que les modernes techniciens sélectionneurs appellent la « sélection massale ». On entreprit de tamiser les graines pour ne retenir que les plus grosses ou, plus simplement, de retenir par exemple les plus gros fruits de tomates pour en replanter les pépins ou bouturer les pieds qui les portent. Très tôt, par ces procédés, de substantielles améliorations furent réalisées dans la plus complète ignorance des lois de la génétique, connues seulement à partir du xixe siècle.

Une avancée très importante fut accomplie avec la mise en pratique de la sélection généalogique. Celle-ci consiste à suivre individuellement, de génération en génération, la descendance d'une plante sélectionnée et à en conserver systématiquement les descendants les plus intéressants : on conservera toujours, par exemple, pour les pieds de carottes, ceux possédant les plus grosses racines ou, pour les choux et les salades, les individus les mieux pommés.

Les plantes « croisées »

Un nouveau pas en avant fut franchi lorsqu'on entreprit de croiser des individus de lignées différentes pour former des hybrides additionnant les qualités des deux parents. La qualité et la vigueur des hybrides ainsi obtenus sont généralement très supérieures à celles des parents. De plus, on apprit à fixer les caractères favorables des hybrides dans leur descendance en ne recueillant que les graines de première génération ; chaque année, ces hybrides sont reconstitués à l'identique par recroisement des lignées parentales, avec toutes les qualités qu'on entend leur conserver. On évite ainsi que l'hybride perde sur plusieurs générations les qualités acquises à la première. Car telles sont les lois de la génétique qu'un caractère favorable, acquis par le croisement de deux parents, ne se maintient pas nécessairement aux générations suivantes.

Mais, pour que de telles hybridations pussent être effectuées, encore fallait-il avoir découvert que les plantes possèdent une sexualité. Découverte tardive, due à Camerarius à la fin du XVIIᵉ siècle. Au siècle suivant, le botaniste Kolreuter ouvrit la voie aux croisements en pratiquant les premières hybridations systématiques et artificielles. S'ouvrit alors le XIXᵉ siècle, « siècle des hybrideurs », où s'illustrèrent notamment les Vilmorin. Vinrent ensuite, avec le moine Mendel, la découverte des lois de la génétique, puis, avec De Vries, celle des mutations ; les connaissances fondamentales étaient dès lors en place pour promouvoir sur des bases scientifiques sûres les procédés modernes de sélection des plantes.

Lorsque l'homme entreprend d'« améliorer » une plante sauvage, il ne fait qu'utiliser à son profit les mécanismes fondamentaux de l'évolution, mais en les dirigeant dans un sens qui lui est favorable et en les accélérant. On peut alors décrire comme suit les principales étapes conduisant à une plante améliorée dans une direction voulue par l'homme.

La première démarche consiste à rassembler de nombreux individus sauvages prélevés dans toutes les parties de l'aire habitée par l'espèce ; on réalise ainsi une collection d'individus, et donc de gènes, d'autant plus riche que les types prélevés dans la nature sont plus nombreux et plus variés. En cultivant séparément chaque individu, on le soustrait au jeu de la sélection naturelle et on maintient ainsi des individus qui, sinon, seraient rapidement éliminés. La riche collection ainsi constituée donne une idée du polymorphisme de l'espèce.

Certains de ces individus peuvent subir des mutations spontanées ; mais on sait aussi provoquer des mutations artificielles par divers moyens (poisons chimiques, radiations, chocs thermiques, etc.). Très courante est la mutation qui vise à doubler le nombre de chromosomes d'un individu, qui devient alors un « polyploïde » de taille fortement augmentée. Bref, les mutations naturelles ou provoquées augmentent encore le polymorphisme de la collection qui se présente sous la forme d'individus nombreux et diversifiés.

La vigueur des hybrides

L'étape suivante est l'hybridation. On choisit dans la collection deux individus, mutés ou non, qui présentent des caractères favorables et complémentaires, et on les croise. Les hybrides qui en dérivent présentent les caractères favorables des parents. Ce mouvement d'hybridation peut aussi s'accomplir spontanément dans la nature. L'hybridation naturelle ou provoquée nous a valu les grandes espèces céréalières, comme le maïs et le blé, dont on peut réécrire l'histoire, développée sur des milliers d'années, qui a conduit des plantes modestes et sauvages à devenir les grandes céréales d'aujourd'hui. Parmi les hybrides obtenus, l'homme conserve les formes les plus favorables, présentant le plus de combinaisons de caractères avantageuses. Par ailleurs, pour éviter que ces combinaisons favorables ne se redissolvent, du fait des lois de la génétique, au fil des générations, il tente de maintenir l'hybride et de le reproduire sous forme asexuelle, afin de lui conserver ses caractères par suppression du brassage des gènes produit par la sexualité. On obtient alors des *cultivars* ou des *clones*, propagés par fragmentation d'organes souterrains, par exemple, comme pour les pommes de terre ou les dahlias.

Mais le processus d'amélioration des plantes se poursuit : à partir d'hybrides engagés dans de nouveaux croisements, on aboutit à des types inédits dont seuls les meilleurs sont retenus, et cette sélection dirigée, continuellement poursuivie, permet de créer sans cesse des races perfectionnées, de plus en plus spécialisées et productives. Naturellement, tout ce travail de mutation, d'hybridation et de sélection est associé à des soins culturaux qui assurent la croissance et le rendement optimal des individus sélectionnés.

Depuis des millénaires, d'abord inconsciemment, puis empiriquement, enfin scientifiquement aujourd'hui, d'après les données de base de la génétique et de l'écologie, l'homme a donc créé des races d'animaux, de bactéries, de champignons, de végétaux absolument nouvelles en utilisant les mécanismes naturels, tout en les dirigeant vers la survivance non pas du plus fort ou du mieux adapté, mais du plus conforme à ses désirs. L'homme s'est comporté comme un agent d'évolution d'une extrême efficacité ; il a créé des types originaux extraordinaires, voire monstrueux, incapables de s'intégrer aux groupements sauvages, mais qu'il substitue sur d'immenses surfaces à la végétation naturelle. Les races de maïs, par exemple, sont aujourd'hui cultivées partout dans le monde ; il s'agit d'un genre entièrement créé par l'homme, mais qui ne peut se maintenir dans un milieu naturel et qui disparaîtrait instantanément si l'homme ne le protégeait plus. (Il en va de même d'un chien de luxe !) Aussi l'homme doit-il sans cesse œuvrer à maintenir les races qu'il a sélectionnées, à les ajuster de plus en plus efficacement aux conditions écologiques dans lesquelles elles vivront, à étendre, lorsqu'il s'agit de végétaux, l'aire de leur culture et à améliorer leur qualité. Si l'on considère ce que l'homme a réalisé en quelques millénaires dans le domaine de l'agriculture, on s'étonne moins de ce que le libre jeu des mutations, des hybridations et de la sélection a su créer en 160 millions d'années, à partir des angiospermes du jurassique (les premières plantes à fleurs) : 300 000 espèces « produites » par la nature, auxquelles viennent s'ajouter aujourd'hui les centaines de milliers de variétés produites par l'homme.

Lorsqu'elles sont laissées à l'abandon, bon nombre de plantes cultivées tendent à revenir à l'état sauvage sous l'effet de la concurrence d'autres espèces. Pour certaines, les parents sauvages ont disparu, de sorte que l'espèce ne survit qu'en culture. C'est pourquoi il est parfois impossible de reconnaître la ou les plante(s) sauvage(s) qui est (sont) à l'origine de tel ou tel légume : les maillons intermédiaires ont disparu, cependant que ne subsistent que les plantes cultivées protégées par l'homme.

Où la magie intervient

Mais la haute technicité mise en œuvre dans la sélection de plantes aux caractéristiques de plus en plus favorables ne doit pas faire oublier les siècles d'empirisme dont l'efficacité prête parfois à sourire. Voici, par exemple, selon Françoise Aubaille-Sallenave[1], comment l'on procédait pour obtenir des fruits plus savoureux, plus parfumés et plus sucrés : « Dans une fosse, on prépare un engrais composé de bouse de vache, de crottin de cheval, de feuilles de poireaux, de racines pilées de *Saussurea lappa* (plante indienne et parfumée), le tout mêlé à des feuilles de l'arbre auquel on veut

1. Françoise AUBAILLE-SALLENAVE, in *Le Grand Livre des fruits et légumes*, éd. La Manufacture, 1991.

conférer le parfum, le sucre et le juteux du fruit. Puis on y fait uriner les ouvriers agricoles en même temps que l'on arrose d'eau douce. Quand la masse devient bien homogène, on la fait sécher en l'étalant sur le sol ; cette bouse est alors mise dans la cavité faite en déchaussant les racines, puis on arrose abondamment... » Cette technique était conseillée pour les arbres fruitiers. Elle devait être fort efficace, grâce à l'apport en nitrate et en sels minéraux du fumier de cheval et de vache ; l'effet du *Saussurea* parfumé est, en revanche, moins évident. Ce principe d'« action directe » se retrouve quand, voulant obtenir des grenades ou du raisin bien sucrés et juteux, on les arrosait simplement d'eau sucrée. Voulait-on obtenir des fruits plus gros pour des cucurbitacées, des prunus ou des grenades ? On mêlait à l'engrais de la fève pilée, légume bien connu pour procurer de l'embonpoint, et qui constitue aussi un excellent engrais. Désirait-on une belle couleur rouge ? On arrosait de sang le pied des grenadiers ou des bigaradiers pour obtenir des sanguines. À ces méthodes consistant à améliorer le milieu, fût-ce par d'étranges pratiques de « magie sympathique », s'ajoutait, pour les fruitiers, la pratique courante des greffes, fortement préconisées par les auteurs arabes. Mais les greffes se réalisent sur les arbres, non sur les herbes ; elles visent à améliorer les fruits, non les légumes.

On ne peut que s'étonner, en évoquant ces pratiques qui prêtent à sourire, de les avoir vu mises en œuvre plus récemment dans l'ex-Union soviétique. Le raisonnement implicite est bien connu : pour faire un bon communiste, il faut un milieu éducatif et un environnement idoines. Naturellement, pour faire un bon maïs, il en va de même. Aussi Lyssenko, afin de plaire au Prince, nia-t-il les lois de la génétique et de l'hérédité et obtint-il en prime l'effondrement des rendements de l'agriculture soviétique. La sanction fut terrible, et le communisme lui-même finit par être éliminé par le jeu de la sélection naturelle qui s'applique aussi bien en biologie qu'en sciences sociales, aux légumes aussi bien qu'aux institutions humaines...

Ainsi, de siècle en siècle, de sélection massale en sélection généalogique, d'hybridation en hybridation, les agriculteurs, bientôt devenus sélectionneurs, entraînent l'espèce ou la variété là où ils veulent la conduire. Ainsi, les racines grossissent, les fruits deviennent plus parfumés, la taille des graines alimentaires augmente, etc. L'on passe de la plante sauvage à la plante cultivée par des méthodes qui ne sont guère différentes de celles appliquées parallèlement dans le monde animal au cours du processus de domestication. En effet, la nature première ignore tout des centaines de variétés de chiens, comme des centaines de variétés de choux, œuvres, les unes comme les autres, du patient travail des hommes.

DEUXIÈME PARTIE

Portraits de légumes

CHAPITRE III

Les légumes racines

LA CAROTTE

La carotte est une humble racine : aucun botaniste célèbre, aucun explorateur, aucun scientifique ne lui a attaché son nom. Et cette racine est fille d'Europe, ce qui est fort rare pour un légume. Son ancêtre sauvage continue à border chemins et prairies de ses coquettes ombelles, aisément identifiables par l'unique fleur rouge foncé qui pointe en leur centre.

Déjà connue des Grecs et des Romains, elle l'était aussi des Germains et des Slaves bien avant leur conquête par les soldats de Rome ; d'aucuns considèrent même qu'en tant que plante cultivée son pays d'origine serait la Gaule... Pour autant, la carotte ne fit point une carrière prestigieuse, et son épopée dans l'univers des fruits et légumes reste somme toute modeste. Elle n'en figure pas moins déjà parmi les 90 plantes du capitulaire *De Villis* qui étaient censées être cultivées dans tous les jardins impériaux de Charlemagne, ce qui en dit long sur l'ancienneté de sa culture.

Les carottes conservèrent leur aspect primitif — racines longues, fines et jaunes — jusqu'au XVIIᵉ siècle, époque à laquelle apparut pour la première fois en Hollande la carotte orange. Cette grande nouveauté dans le petit monde des carottes prit le nom de « carotte longue orange » ; celle-ci connut une vive popularité et se propagea au XVIIIᵉ siècle en Europe du Nord et aux États-Unis, puis, au début du XIXᵉ siècle, en France. Il fallut attendre, en effet, le premier Empire pour que la carotte fût enfin activement et généreusement cultivée en France. Jusque-là, sa culture était restée sporadique, puisque, malgré de nombreuses mentions antérieures, elle ne commença à s'imposer qu'au XIVᵉ siècle, et encore, avec bien des réticences. La variété qui semble être la descendante directe de la « longue orange » est la célèbre « Saint-Valéry », première grosse et belle race de nos carottes rouges.

Les premières carottes, celles des Grecs et des Romains, n'avaient donc qu'une racine grêle et presque ligneuse ; elles étaient âcres au goût et exhalaient une forte senteur. Bref, elles n'avaient rien de commun avec les variétés tendres, charnues et sucrées que nous connaissons aujourd'hui.

Comme bien des légumes, la carotte mena simultanément une carrière de plante médicinale. Elle fut utilisée dans les prescriptions thérapeutiques les plus variées, dont l'une au moins s'est longuement imposée. Prospère Calamo la résume en ces termes : « Les femmes en usent souvent avec miel pour provoquer leur besogne. » C'est dire que la couleur rouge de la carotte la désignait tout naturellement pour cet usage, selon l'antique « théorie des signatures » qui veut que la Nature signe, par une indication qu'il convient de savoir décrypter, les propriétés thérapeutiques des plantes. Ici, la carotte se devait d'être prescrite pour la venue des règles en raison de sa couleur rouge, même si celle-ci n'a vraiment rien d'un rouge sang.

Toujours en raison de sa couleur orangée et en vertu de ladite théorie des signatures, on prescrivit la carotte contre la jaunisse. Elle fut aussi le traditionnel légume des repas de carême, peut-être parce que sa teinte rutilante donne aux yeux l'illusion de la chair proscrite par ces temps de pénitence... Autre signature, symbolique cette fois : celle du légume favori des repas du vendredi saint, où le rouge de la carotte évoque le sang du Christ répandu en ce jour. C'est en 1831 qu'on identifia le responsable de cette couleur : le carotène, précurseur de la vitamine A, que la carotte contient à raison d'environ 10 mg/100 g de matière fraîche ; elle contient également des vitamines B1, B2 et C, des sucres, et plus particulièrement « du » sucre, d'où son goût agréable.

Pour un légume racine, la carotte est fort riche en eau, mais moins cependant que le radis ; sa forte teneur en sucre lui confère une valeur alimentaire non négligeable.

Elle reste aujourd'hui indiquée pour le traitement des troubles intestinaux que les Romains avaient placés sous la protection de l'orageux et hilare dieu Crépitus. Ainsi la carotte à l'eau contribue-t-elle à gérer les pestilences et flatulences générées par ses congénères, légumes, fruits ou féculents mal digérés. Elle est le remède infaillible contre les diarrhées, mais aussi, curieusement, contre la constipation. Amie de l'intestin, elle favorise le transit intestinal et peu de diarrhées résistent à l'ingestion de carottes à l'eau, de riz à l'eau et de thé noir.

LE CÉLERI

Aucune ambiguïté quant à l'origine géographique et botanique de ce légume. Le fait est assez rare pour qu'il mérite d'être signalé. L'ancêtre des céleris — du céleri-rave comme du céleri à côtes — est une plante originaire du littoral méditerranéen : l'ache. L'ache pousse dans les marécages côtiers et se distingue par son feuillage très élégant. Dans l'Antiquité, ce feuillage sombre de l'ache servait à ceindre le front des poètes et des vainqueurs aux jeux du cirque. Mais l'ache était aussi une plante de cimetière, aussi bien chez les Égyptiens que chez les Grecs et les Romains. Ces derniers disaient couramment d'un moribond : « Il n'a plus besoin que d'ache », car on utilisait l'ache pour couronner les morts. Mais l'Antiquité considérait aussi l'ache comme un médicament, et tous les auteurs anciens, à commencer par Hippocrate, vantent ses effets diurétiques — indication thérapeutique confirmée par les auteurs du Moyen Âge et par les recherches contemporaines.

La carrière alimentaire de l'ache ne commence qu'à la Renaissance, lorsque arrivent d'Italie les céleris « à côtes pleines », c'est-à-dire à pétioles charnus, utilisés comme condiment. L'industrie maraîchère les produit grâce à la méthode dite de l'étiolement, qui consiste à attacher le haut des feuilles et à recouvrir en partie le pied avec de la terre, ce qui fait gonfler les pétioles et produit les variétés de céleri blanc à côtes larges. Dans une autre variété signalée dès 1530, la culture modifie le bas de la tige et le haut de la racine en les réunissant pour former une forte tubérosité : c'est le céleri-rave ou céleri tubéreux. Perfectionné en Allemagne, il ne devint d'un emploi courant en France qu'au milieu du XIXᵉ siècle.

Le céleri doit sa saveur piquante à une huile essentielle. Aujourd'hui, le céleri coexiste avec son ancêtre sauvage, l'ache odorante (autre trait caractéristique qui mérite d'être signalé). Et cette ache poursuit elle-même sa carrière en tant que médicament, puisque sa racine entre dans la composition du « sirop des cinq racines », dont les propriétés diurétiques sont incontestables. Le docteur Leclerc avoue avoir été frappé par l'efficacité, sur deux de ses malades, d'une tisane vendue par un herboriste des environs de Nevers, dans laquelle il ne lui fut pas difficile de reconnaître des feuilles desséchées d'ache. Et il ajoute, évoquant le précepte d'Hippocrate : « Il ne faut pas rougir d'emprunter au peuple ce qui peut être utile à l'art de guérir... »

LA POMME DE TERRE

La pomme de terre n'est pas un légume racine, mais un légume tige, les tubercules souterrains étant des tiges modifiées. On la classera néanmoins par analogie dans la rubrique des légumes racines.

La pomme de terre est originaire de la cordillère des Andes et, comme tous les légumes originaires d'Amérique, elle mit beaucoup de temps à s'imposer, surtout en France. Seul le topinambour dérogea à la règle, puisqu'il fit dès le début du XVII⁰ siècle une carrière rapide et brillante. Il provenait, il est vrai, d'Amérique du Nord, région du monde d'où n'ont cessé d'essaimer tous les trucs et tous les tics de la civilisation planétaire...

L'histoire de la pomme de terre est un extraordinaire roman à épisodes où chaque avancée se trouve brusquement sanctionnée par quelque avatar imprévu. Ainsi, son installation dans les habitudes alimentaires, à la fin du XVIII⁰ siècle, fit reculer les famines en Europe, et pourtant, quelques décennies plus tard, c'est une maladie de la pomme de terre elle-même qui déclencha la famine en Irlande.

On discute et on dispute à l'infini sur le point de savoir si les pommes de terre proviennent toutes de l'espèce décrite par Linné sous le nom de *Solanum tuberosum*, ou s'il existe d'autres espèces d'origine. Ce qui paraît en revanche acquis, c'est qu'en 1532 les Espagnols la découvrent au Pérou, conquis par les conquistadores de François Pizarre. En 1533, on en trouve la première mention dans la *Chronique du Pérou* publiée à Séville par Pedro Cieza de Léon. Les *papas* — c'est le nom que les Péruviens donnaient à la pomme de terre — forment, avec le maïs, la base de leur nourriture. Les Indiens de la cordillère savaient préparer la pomme de terre pour qu'elle se conserve : comme les tubercules contiennent 75 % d'eau, ils les exposaient la nuit au froid, et le jour à la chaleur torride ; au bout de quelques jours de ce traitement drastique, les pommes de terre étaient suffisamment déshydratées pour prendre l'apparence anodine de petites pierres noires de la taille d'une grosse noix, dures et légères ; pour les consommer, il suffisait de les faire retremper dans l'eau. Ce procédé avait permis aux Incas de mettre la pomme de terre en réserve et de la rendre disponible toute l'année, ce qui les autorisa à monter les expéditions nécessaires pour construire leur vaste empire. Pour autant, la pomme de terre ne détrônait pas le maïs, que les précolombiens avaient divinisé.

Les pommes de terre furent introduites vers 1535 en Espagne, d'où elles passèrent rapidement en Italie, car le royaume de Naples était encore sous mandat espagnol. Un plant fut adressé au pape Pie IV à titre de panacée.

En 1586, le légat du pape en offre à Philippe de Sivry, gouverneur de Mons, lequel envoie deux ans plus tard le tubercule à Charles de Lécluse, né à

Arras et intendant des jardins de l'empereur Maximilien à Vienne. C'est à lui qu'on doit la première description scientifique de la pomme de terre ; elle figure dans son *Histoire des plantes*, parue en 1601. Si l'usage de la pomme de terre était déjà répandu en Italie dès la fin du xvie siècle, c'est à partir des tubercules de Charles de Lécluse qu'elle se répand en Allemagne, en Autriche, en Suisse et dans l'est de la France. Mais le véritable artisan de la culture de la pomme de terre reste Frédéric le Grand, roi de Prusse, qui en avait vulgarisé l'usage (ce qui explique que Parmentier l'ait découverte en Allemagne). C'est là que prit naissance la mauvaise réputation de la pomme de terre, les Bourguignons prétendant même qu'elle rendait lépreux...

En fait, la pomme de terre prit l'Europe en tenailles, car elle pénétra aussi en Angleterre dès la fin du xvie siècle, sans qu'on sache exactement où et quand. D'après une hypothèse, l'amiral anglais Francis Drake l'aurait rapatriée de Virginie en même temps que des colons irlandais ; ceux-ci auraient détenu des plants de pomme de terre provenant de bateaux espagnols pillés par des corsaires. Hypothèse un peu sophistiquée, mais qui reste la plus plausible. Toujours est-il qu'en 1586, année décidément faste dans l'histoire de la pomme de terre, l'apothicaire anglais Gerarde la cultive déjà dans son jardin d'Osborn. Ce qui vaut à Drake d'avoir sa statue, et à Gerarde de la voir figurer au frontispice de son herbier.

Voici donc la pomme de terre au nord et au sud

de l'Europe où elle entame une toute petite carrière ; de fait, il faut la suivre à la trace dans ses
pérégrinations en zigzag, au gré des opportunités
et des aventures.

Le XVIᵉ siècle finissant, trois botanistes l'avaient
déjà décrite : le Suisse Gaspard Bauhin en 1590,
l'Anglais John Gerarde en 1597, et le Français
Charles de Lécluse en 1601. Pourtant, durant plus
d'un siècle encore, la pomme de terre reste une
sorte de curiosité ; il est vrai que les tubercules de
l'époque étaient de petite taille, amers et indi-
gestes.

On les consommait cuits, grillés à la façon des
châtaignes ; on les vendait sur les marchés et aux
coins de rues. Relayant Charles de Lécluse et
Olivier de Serres, Turgot, ministre de Louis XVI,
invita la Faculté de médecine à rédiger un rapport
en vue de donner plus d'extension à l'usage et à la
culture de la pomme de terre ; en effet, beaucoup
de Français, à l'instar des Bourguignons, manifes-
taient des préventions à son endroit et la considéraient comme un aliment grossier, juste bon pour
le petit peuple. Et ce, malgré Charles de Lécluse
que Charles Morren réhabilite en ces termes :
« L'histoire si intéressante de ce précieux aliment
ne saurait s'écrire aujourd'hui sans recourir à Charles
de Lécluse qui, par le seul fait d'avoir popularisé
le plus riche présent que le Nouveau Monde ait
offert à l'Ancien, mérite de prendre place parmi
les bienfaiteurs de l'humanité. La culture de la
pomme de terre préconisée par ce célèbre botaniste, placé alors à la tête du Jardin impérial de

Vienne, continuée par les horticulteurs de Belgique [...], ne se perdit plus dans nos provinces et, quand Parmentier avait trois ans, nos populations trouvaient déjà sur les marchés publics des villes les pommes de terre en abondance[1]. » De fait, la pomme de terre est déjà en Lorraine, à la veille de la Révolution, région à l'époque bien pauvre.

Ce qui n'enlève rien aux mérites de Parmentier dans sa mémorable croisade en faveur de la pomme de terre. Antoine Augustin Parmentier est, en 1757, pharmacien militaire dans l'armée de Hanovre ; il voit des soldats affamés se nourrir de pommes de terre. À son retour, lors de la famine de 1769, il concourt devant l'académie de Besançon pour proposer la pomme de terre comme aliment en période de disette, et il est fait lauréat. Il va dès lors employer toute son énergie à convaincre ses compatriotes, en particulier les classes les plus élevées de la société, de cultiver la pomme de terre.

La propagande développée par Parmentier, après Charles de Lécluse et Olivier de Serres, s'articula autour de la publication d'un grand nombre d'articles et de trois actions spectaculaires dignes des meilleures campagnes médiatiques. Le 24 août 1785, veille de la Saint-Louis, Parmentier convainc le roi de porter, lors d'une réception à Versailles, une fleur de pomme de terre à sa boutonnière : c'est évidemment le meilleur emplacement publi-

---

1. Charles MORREN, *Belgique horticole*, IIIᵉ vol., 1853.

citaire du royaume... (Pas pour longtemps, il est vrai !) Dans un deuxième temps, en 1788, il plante des pommes de terre dans la plaine des Sablons — actuellement l'avenue de la Grande-Armée —, aux portes de Paris, et prend grand soin de faire garder les plantations par des soldats en armes tout le jour durant. Mais, la nuit, les soldats sont retirés et la garde n'est pas relevée. C'est alors que paysans et curieux viennent frauduleusement s'emparer des pommes de terre pour les cultiver à leur tour... Ruse ingénieuse qui consiste à transformer les tubercules en fruits défendus, donc d'autant plus désirables ! À l'occasion de son troisième stratagème, Parmentier offre un dîner à la pomme de terre à toutes les célébrités scientifiques de Paris, où elle est accommodée de toutes les façons et à toutes les sauces ; la boisson elle-même est à base d'alcool de pomme de terre. L'objectif est clair : il s'agit de frapper l'opinion publique. Ce dîner désarme les préventions des moins convaincus. Benjamin Franklin, Lavoisier, Vilmorin, Broussonet devinrent ainsi de fervents promoteurs de la pomme de terre, et cette victoire sur les leaders d'opinion entraîna un véritable engouement pour ce légume enfin sorti des limbes. Parmentier réussit même à faire changer d'avis Voltaire, qui avait qualifié la pomme de terre de « simple amusement public ».

Mais il entend surtout délivrer la France et le monde des famines épisodiques qui, au XVIIIe siècle, faisaient encore de très nombreux morts. Aussi s'intéresse-t-il en outre à la meunerie, à la boulangerie, à la châtaigne, au topinambour.

Il n'est plus question, désormais, de mépriser la pomme de terre. Parmentier trouve d'ailleurs la seule alliée capable de convaincre vraiment les Français qui l'ont si longtemps tenue à l'écart : c'est la disette, qui se prolonge en cette période de la Révolution et du Directoire.

Plusieurs pays d'Europe ont connu famines et disettes tout au long des XVIIe et XVIIIe siècles. En France, l'année 1709 restera dans les annales comme celle d'une famine extrêmement grave. Des hivers très rudes et la détresse des campagnes ternissent la fin du règne de Louis XIV. En 1725, nouvelle famine, puis menace de disette en 1740, 1750, 1760 et 1767. 1789 n'aurait peut-être pas été un millésime aussi universellement célèbre si elle n'avait d'abord été une année désastreuse pour l'agriculture. Elle succédait à cinq années très dures : forte sécheresse en 1785, pluies catastrophiques en 1787, orages exceptionnels en 1788, pluies et froids inhabituels durant l'hiver 1788-1789. Durant les famines, l'état des campagnes est lamentable : « On parcourait plusieurs lieues sans voir ni homme, ni bête, ni même un moineau. Dans les villages, les maisons restées debout sont pleines de cadavres et de charognes : hommes, femmes, enfants, valets, chevaux, porcs, vaches..., les uns à côté des autres ou les uns par-dessus les autres, étouffés par des coliques ou par la peste, grouillant de vers, rongés par les oiseaux, les loups et les chiens, car personne n'est là qui les aurait enterrés ou pleurés... » 1789, 1830, 1848 : les historiens ont noté que, entre des faisceaux de causes multiples, ces trois révolutions présentent un point commun ; une hausse brutale du prix du blé les précède. En France, le pain cher met toujours le feu aux poudres.

Désormais, la pomme de terre va apparaître comme le remède souverain aux famines et disettes. Encore faut-il que sa culture s'implante au cœur des provinces. Le gouvernement de la République y dépêche des propagandistes. Dans le pays de Caux, personne n'avait encore jamais vu un seul tubercule de pomme de terre en septembre 1793, soit deux cent cinq années après la description de la pomme de terre par Charles de Lécluse ! Un autre envoyé, Catala, eut plus de chance : arrivant dans un village de l'Ariège, il découvre des « truffes blanches » diversement apprêtées. En fait, l'évêque de Castres, sous la recommandation du gouverne-ment royal, avait dès 1775 fait distribuer des tubercules de pomme de terre à ses curés, avec mission de les planter et d'instruire les paysans de l'intérêt de cette culture. L'évêque de Léon, dit l'« évêque aux pommes de terre », en fit autant sur ses terres de Bretagne.

On peut certes se demander pourquoi la pomme de terre a mis autant de temps à se faire adopter. Pourquoi un tel dégoût ? Pourquoi les Européens ne l'acceptent-ils en définitive que contraints et forcés, sur le point de mourir de faim ? Il y a lieu de considérer d'abord l'étrangeté d'un végétal qui ne ressemble à rien de connu à l'époque, si ce n'est aux truffes. La pomme de terre n'est pas l'un de ces légumes à gousses que l'Occident fréquente depuis des millénaires et que l'on fait cuire dans l'eau pour les manger en potage. Le haricot, également d'origine américaine, mais très proche de ces végétaux connus, fut, lui, adopté d'emblée.

Mais, objectera-t-on, pourquoi n'a-t-on pas mis la pomme de terre dans le potage ? C'est qu'elle ne ressemble pas, à l'époque, à ce qu'elle est devenue aujourd'hui, notamment par sa taille. Elle est toute petite, et il ne vient à l'idée de personne de la peler... Elle a donc été essayée comme légume avec sa pelure, et le résultat ne pouvait être que négatif.

Pourquoi ne l'a-t-on pas alors consommée comme légume hors des potages ? Sans doute tout simplement parce que, à l'époque, on ne mangeait pratiquement pas de légumes hors des potages ; les gens modestes mangeaient des salades, dans certaines régions des châtaignes. La pomme de terre cuite avec sa peau semble fade, elle *sent la terre*. Quant aux grands de ce monde, ils n'acceptaient à leur table, hors les potages, que les légumes à saveur forte — navet, chou, oseille, roquette, pimprenelle, chicorée — ou fondant dans la bouche — asperge et artichaut, dont on ne consommait que les fonds. Aux palais constamment excités par les épices, la pomme de terre paraît plus fade encore qu'à ceux des paysans. Bref, elle arrive, terne et sans attrait, sur un théâtre où venaient d'entrer de brillants acteurs très appréciés. Pourquoi aurait-elle intéressé ? Et puis, son goût farineux déplaisait également. Si encore elle avait donné une bonne farine panifiable, mais non ! Tout cela explique les réticences que Parmentier dut vaincre pour permettre à la pomme de terre de faire carrière.

Au début du XIXe siècle, en raison de l'importance croissante de la pomme de terre, la Société centrale d'agriculture s'attacha à constituer une collection de toutes les variétés qui en étaient alors connues, laquelle fut complétée ultérieurement par celles d'obtention nouvelle. En 1814, cette collection fut confiée à Vilmorin, l'un des membres de cette société, qui la fit planter dans les collections de Verrières-le-Buisson. En 1846, elle comprenait 177 variétés — nombre porté à 212 en 1872. Depuis cette époque, la collection s'est considérablement enrichie et le catalogue publié en 1902 par Philippe de Vilmorin indique que 1 280 variétés nouvelles ont été introduites à Verrières entre 1872 et 1902. Aujourd'hui, les variétés de pommes de terre se comptent par milliers.

Mais voici qu'elle réussit trop bien ! En Irlande, elle devient la base de toute nourriture et la monoculture de la pomme de terre s'étend sur toute l'île. Or, au beau milieu du XIXe siècle, un champignon redoutable et contagieux attaque les feuilles et même les tubercules. Dès 1822, la Société d'horticulture de Londres avait mis en garde contre les risques d'une monoculture : « La pomme de terre cultivée est sujette à des détériorations. Si donc cette plante vient à manquer quand elle sera devenue le principal ou le seul soutien de la vie, il en résultera nécessairement une famine dont les horreurs seront en proportion du nombre de la population exposée au ravage... » Entre 1845 et 1849, c'est bien ce qui se produit en Irlande, où des familles entières meurent, décimées par le typhus, le scorbut et la dysenterie ; des malheureux tentent même de piller des magasins de vivres de l'armée britannique. Les Anglais envoient des renforts et n'hésitent pas à faire feu. En quelques années, la population irlandaise perd 1,5 million d'habitants, soit un million de morts et 500 000 émigrés aux États-Unis, qui deviendront les Kennedy, les Kelly, etc. ; sans compter que bon nombre d'émigrés meurent sur les vieux navires qui effectuent la traversée. Le champignon responsable de ce désastre est le mildiou. Or, l'un de ses cousins attaquera à la fin du siècle les vignes du Bordelais où, pour décourager les voleurs de raisin, les vignerons répandaient sur les plants en bordure de route une bouillie à base de sulfate de cuivre et de chaux. Celle-ci se révéla efficace contre le mildiou de la vigne et, par extension, de la pomme de terre. La pomme de terre est-elle alors sauvée ?

Pas encore ! Car, aux États-Unis, un nouvel ennemi la guette : le doryphore ! Son nom signifie : « porteur de bandes ». En effet, ces coléoptères portent des élytres rayés de noir, comme un dossard. Le doryphore s'attaquait depuis toujours à une solanacée sauvage du Colorado, mais, entre la proie et son prédateur, un équilibre immémorial s'était instauré, le doryphore épargnant suffisamment « sa » plante pour que celle-ci le supporte à perpétuité. Lorsque, vers 1840, la pomme de terre arrive au Colorado avec les colons, notre coléoptère flaire l'aubaine, car les deux solanacées ont la même chimie et il va donc pouvoir se nourrir indifférem- ment de l'une et de l'autre. Mais d'abord de l'autre, celle qui arrive et que l'on cultive, pense-t-il sans doute, tout exprès pour lui ! Et voici qu'il devient la terreur de la pomme de terre. Bientôt, il entre- prend de parcourir à rebours, jusqu'en Europe, le chemin suivi par la pomme de terre en sens inverse. Jean-Pierre Cuny relate l'épopée en ces termes :

« En 1860, quand les Irlandais arrivent sur la côte atlantique des États-Unis pour avoir fui la pomme de terre, le doryphore s'y trouve déjà... pour l'avoir suivie. En 1922, à son tour, il émigre. Il embarque clandestinement sur un navire et se retrouve à Bordeaux. En 1931, il est aux portes de Paris. En 1940, il envahit la Belgique. En 1941, le doryphore envahit l'Allemagne ! 1946 : non seulement toute l'Allemagne est occupée, mais, au mépris de la neutralité, le doryphore s'attaque à la pomme de terre suisse. 1951 : il envahit la Pologne et la Tchécoslovaquie. 1956 : il tient l'Espagne. 1960 : faisant mieux, sur ce point, que Napoléon et Hitler, le doryphore arrive en Sibérie. 1963 : comme eux, en revanche, il renonce à l'Angleterre. 1964 : pas plus que Mussolini, il n'a réussi en Grèce. Mais il occupe déjà tout le nord de l'Italie. 1970 : voilà qui peut consoler Napoléon, le doryphore n'est toujours pas en Corse. Presque partout ailleurs en Europe, la pomme de terre est aux abois[1]. »

Après la victoire sur le mildiou, il fallait alors entreprendre la lutte contre le doryphore. Or, on s'avisa que si, dans son pays d'origine, son pouvoir dévastateur était limité, c'est qu'il avait un ennemi : une punaise rouge avec deux taches noires sur le dos. Celle-ci l'attaquait justement sur la solanacée sauvage dont il se nourrissait. Le sachant, les Allemands introduisirent la punaise des États-Unis ; elle injecte au doryphore et à ses larves un liquide toxique qui paralyse l'insecte, puis elle l'aspire littéralement, comme avec une paille. Cet exercice se déroule sur les feuilles de pommes de terre où le doryphore, une fois paralysé, cesse de se cramponner et risque de basculer dans le vide ; aussi la lance de la punaise est-elle munie d'un crochet qui lui permet de maintenir sa proie sans cesser de l'aspirer. Malheureusement, cette punaise ne supporte pas le froid ; importée en Allemagne, elle ne passe pas l'hiver. D'où le développement de toutes sortes de stratégies de substitution : des bouillies à l'arsenic, le ramassage des doryphores par les enfants des écoles, l'utilisation d'insecticides végétaux comme la roténone des Derris, plante de la famille des légumineuses (celle des haricots et des petits pois), avec ses fleurs papilionacées et ses fruits en gousses. Mais la meilleure solution serait évidemment de trouver par sélec-

1. Jean-Pierre CUNY, *L'Aventure des plantes*, Fixot, 1987.

tion, hybridation ou mutation — ou le tout combiné — une variété de pommes de terre résistante aux doryphores. On n'en est pas encore là !

Autre paradoxe : alors que la pomme de terre est enfin lancée dans le monde entier, les Indiens des Andes l'ont presque complètement abandonnée !

En rapportant des échantillons de la cordillère des Andes, on s'aperçut que certains donnaient de minuscules tubercules ou refusaient de fleurir, tandis que d'autres, au contraire, se propageaient avec ardeur. On sait aujourd'hui que l'ancêtre de notre pomme de terre européenne provient sans doute de l'île chilienne de Chiloé ; elle fut introduite en 1565 par des navigateurs espagnols. Or, cette île est située à 40° de latitude sud, à la latitude moyenne de l'Espagne et de l'Italie dans sa version nord. De fines expérimentations, effectuées à l'aide de ce système complexe de serres dans lesquelles on peut reproduire artificiellement tous les climats, et que l'on appelle phytotron, ont montré que les pommes de terre étaient très sensibles aux durées respectives du jour et de la nuit, qu'elles ne donnaient de tubercules que dans des régions à saisons chaudes durant lesquelles la longueur des jours dépasse 13 heures, donc notre été, mais aussi l'été chilien. En revanche, à l'équateur où les jours et les nuits ont 12 heures toute l'année, les variétés de pommes de terre sont différentes et incapables de s'acclimater aux pays tempérés. Découverte qui devait expliquer *a pos-*

teriori les nombreux déboires obtenus avec des échantillons originaires du Pérou ou de l'équateur.

On récolte annuellement en France plus de 5 millions de tonnes de pommes de terre ; chaque Français en consomme en moyenne 50 kg par an, dont 37 kg sont achetés sur les marchés : la pomme de terre est donc le premier légume consommé en France, loin devant la tomate. Mais sa consommation est en régression. La pomme de terre est aussi le légume national de la Belgique, dont les frites tiennent lieu d'emblème !... Dans un manuscrit daté de la fin du XVIIIe siècle, un voyageur note qu'« on cultivait déjà la pomme de terre en Belgique à cette époque » et que, « lorsque les eaux de la Meuse étaient gelées, empêchant la pêche, les habitants de la vallée coupaient des pommes de terre en forme de petits poissons et les faisaient frire comme du menu fretin... » La frite semble donc bien une invention belge ! Mais le poisson décidément la rattrape, car les poissons surgelés découpés en parallélépipèdes, destinés à la friture, ont pris aujourd'hui la forme de frites, comme les frites d'origine prenaient jadis la forme de poissons. Quant aux petits enfants des villes, ils ne connaissent plus les fleurs de pomme de terre que Louis XVI mettait à sa boutonnière, pas même la forme des tubercules vendus tout épluchés et découpés en carrés ou en parallélépipèdes ; ils se demandent aussi pourquoi les poissons surgelés ressemblent si peu à ceux des films du commandant Cousteau...

La pomme de terre est un légume fort nutritif.

Sa teneur en eau est de l'ordre de 78 %. Les glucides, surtout constitués d'amidon, représentent de 15 % à 20 %. Les protéines ne représentent que de 1 % à 2 %. Les races les plus riches en protéines ne se délitent pas à la cuisson ; celles qui se délitent sont préférées pour la préparation de la fécule. Il n'existe que des traces de lipides. Les vitamines B1, B2 et C sont présentes, mais surtout dans la pelure ! Aussi les pertes, après épluchage et cuisson, sont-elles de l'ordre de 40 %. De même, un épluchage par trop agressif est pénalisant dans la mesure où la vitamine C se trouve surtout en périphérie du tubercule.

La pomme de terre est donc un bon aliment glucidique, très digeste après cuisson. Mais la ration alimentaire devra apporter en complément protides et lipides que la pomme de terre ne contient qu'en trop faibles quantités. Sa valeur énergétique de 85 kcal pour 100 g de produit cuit se rapproche de celle de la lentille et du riz (87 kcal dans les deux cas).

Dans les tubercules mûrs et frais, il existe des traces de solanine. Mais, dans les pommes de terre verdies et germées, les teneurs en ce principe toxique peuvent atteindre 0,02 %. Les germes en sont particulièrement riches, de même que le fruit et le feuillage. Consommer des pommes de terre germées peut donc provoquer des intoxications dues à cette solanine : gastro-entérite, vomissements, hématurie, nervosité. Ces accidents ont été observés en périodes de disette et de guerre chez l'homme, plus fréquemment chez les animaux domestiques nourris d'épluchures, de tubercules germés ou verdis par l'exposition à la lumière. Moralité : ne jamais manger les parties vertes et germées des pommes de terre.

Si la pomme de terre a mis du temps à s'imposer, elle en a mis aussi à imposer son nom. On la nomma d'abord *papa*, qui était son nom péruvien ; mais ce terme prêtait à confusion avec la patate douce, connue de longue date et dont les tubercules ne sont pas sans évoquer ceux de la pomme de terre, bien que cette plante appartienne à la famille des convolvulacées, non à celle des solanacées. Mais le mot *patate* a été réinvesti par l'argot au bénéfice de la pomme de terre.

C'est Fraisier, ingénieur du roi, qui, pour la première fois, baptise les *papas* « pommes de terre » en 1716. Il les avait vues sur les côtes du Chili et du Pérou. En Italie, comme elles poussent sous la terre, on leur donne le nom de truffes : *taratouffi*, truffes de terre, ce qui, par corruption, donne en allemand *kartofel*. En Belgique et en Flandre, elle est une « poire de terre » : *grondpeer*, ce qui, par corruption, donne *gronpire* en Lorraine et en Alsace. Tout cela pour qu'il soit bien établi que ces tubercules poussent *sous* terre ! Mais, bien que dite et redite, l'expression prête encore à confusion, comme le prouve cette réaction d'un enfant qui s'étonnait d'une telle précision : puisque, disait-il, « il n'existe aucune vie sur aucune autre planète, il ne peut donc pas y avoir de pommes de Lune ou de pommes de Mars » ! Il avait simplement oublié que la pomme de terre est une

« pomme qui pousse dans la terre », par opposition aux pommes de l'air, ou pommes tout court !

LE RADIS

Le docteur Henri Leclerc, phytothérapeute éminent, rapporte cette facétie d'un de ses maîtres qui, chaque fois qu'un élève se présentait dans son service, lui disait : « Ta physionomie est comme le radis, elle me revient ! » C'était insister là sur un des traits essentiels du radis : une digestibilité douteuse, accompagnée de généreuses éructations. Cette réponse de l'estomac à l'ingestion de radis tient à la présence dans celui-ci de principes soufrés et piquants, les sénevols, ceux-là mêmes qui confèrent à la moutarde — plante très voisine, de la même famille des brassicacées — son agressivité.

L'organe renflé et coloré du radis n'est pas une racine, malgré son nom dérivé du latin *radix* (la racine). C'est un hypocotyle, c'est-à-dire la partie de la tige située sous les cotylédons — et sous la terre. Les radicelles partent de la longue racine qui prolonge l'hypocotyle renflé à la base du radis et que l'on « abrège » avant de servir.

Le radis est un légume d'une vénérable ancienneté. Sous le nom de *noon*, il figure dans les hiéroglyphes de l'Égypte ancienne ; on le trouve représenté dans le temple de Karnak et dans la nécropole de Kaoum. Il apparaît aussi parmi les légumes distribués aux ouvriers qui travaillèrent à la construction de la grande pyramide de Gizeh. On le rencontre également dans tout le Proche-Orient et en Mésopotamie, d'où il se propage en Grèce et en Italie bien avant l'ère chrétienne. Puis l'Empire romain répand les radis noirs, ou « gros radis », dans toute l'Europe. C'est au XVIᵉ siècle qu'apparaissent en Italie les petits radis ronds ou oblongs, la France prenant ensuite le relais de la diversification. Bien que les petits radis ronds s'hybrident aisément avec les radis noirs pour donner une foule de formes de transition, il n'est pas certain que ces deux légumes descendent d'un ancêtre commun. Il n'est pas démontré non plus que le petit radis provienne du radis noir. Comme on le voit, l'histoire du radis, bien que fort étudiée, reste un peu la bouteille à l'encre.

Les Anciens, qui ne connaissaient que le radis noir, faisaient peu de cas de sa valeur alimentaire. Dioscoride conseillait son ingestion après le repas pour faciliter la digestion. Pratique que condamnait Galien, lequel n'admettait le radis que comme apéritif. Puis, au cours des siècles, de nombreux auteurs lui sont hostiles en tant qu'aliment, mais lui prêtent d'incontestables vertus thérapeutiques. On retiendra les propriétés du radis noir contre la coqueluche et les toux rebelles (indication couramment pratiquée en phytothérapie moderne). Le suc de radis noir conservé en ampoule soulage aussi les vésicules biliaires engorgées.

En tant que légume, le radis bat un record : celui de la durée de végétation, qui est exceptionnellement courte, puisqu'il est consommable entre le

20ᵉ et le 40ᵉ jour après semis. Si, au contraire, sa croissance traîne, il devient creux et très piquant. Pour avoir des petits radis en permanence, la pratique consiste à les semer de 15 jours en 15 jours et de les récolter au fur et à mesure qu'ils parviennent à une taille raisonnable. Les nombreuses variétés d'été, d'automne et d'hiver mettent à la disposition du consommateur toute une collection de formes, de variétés, de couleurs et de saveurs au long de l'année : radis jaune d'or, violet, rond, long, blanc, rose à bout blanc, géant, etc.

Très riche en eau, le radis est de tous les légumes racines le moins nutritif, mais non le moins savoureux. Il contient cependant des teneurs non négligeables en vitamines B et C.

LA SCORSONÈRE ET LE SALSIFIS

Une cuisinière se disqualifia un jour pour avoir soutenu que, entre la scorsonère et le salsifis, c'était bonnet blanc et blanc bonnet. Sans doute avait-elle omis d'observer que les racines pivotantes de la scorsonère sont noires, tandis que celles du salsifis sont blanc crème, un peu de style vieil ivoire. Mais notre cordon-bleu n'avait pu, sur les échantillons de racines offerts au marché, observer les feuilles ovales et légèrement ondulées et les fleurs jaunes de la scorsonère, si différentes des feuilles étroites, lisses et pointues, et des fleurs d'un beau violet pourpre du salsifis. L'erreur, vénielle, était somme toute excusable.

Le salsifis fut signalé pour la première fois en France par le célèbre agronome de la Renaissance Olivier de Serres, celui-là même qui laissa son nom à la culture du ver à soie. Il le qualifiait de *sersifi*, nom emprunté aux Italiens qui, par allusion à son habitat pierreux, l'appelaient *sassefrica* (qui frotte les pierres). Le salsifis était à cette époque de consommation courante en Italie, mais la scorsonère originaire d'Espagne ne tarda pas à l'éclipser. Scorsonère signifie « vipère noire », car sa racine était considérée comme l'antidote le plus efficace contre la morsure de l'*escorsu*, serpent commun en Catalogne, encore plus venimeux que la vipère. Il suffisait, disait-on, de l'asperger du suc de la plante pour le plonger dans une profonde torpeur, puis de lui en introduire dans la gueule pour le faire mourir. Aux dires de Mathiole, rapportés par Leclerc, les vertus de la scorsonère auraient été révélées aux Espagnols par un esclave venu d'Afrique, « car, comme il voyoit plusieurs moissonneurs parmy les champs mordus des vipères en extrême danger de leur vie, se souvenant de l'herbe qu'il avoit veue en Afrique, ensemble du remède, l'ayant trouvée, il leur donnoit en breuvage le jus de la racine de cette herbe et les guérissoit tous, ne voulant enseigner cette recepte à personne de peur de perdre telle practique ». Une telle pratique prend à défaut la « théorie des signatures » qui eût voulu que la racine de scorsonère revêtît la forme d'un serpent ondulant et onduleux ; or, il n'en est rien, et l'on verra ici une exception qui confirme la règle. De fait, cette racine avait la réputation d'une véritable panacée, ce qui n'empêcha pas son succès dans les cuisines. La Quintinie, jardinier de Louis XIV, la signale comme « l'une de nos principales racines, admirable cuite, soit pour le plaisir du goût, soit pour la beauté du corps ».

Scorsonère et salsifis sont des légumes d'hiver qui, semés au printemps, se récoltent à partir d'octobre. Leur teneur en glucides est de 12 % pour le salsifis, de 20 % pour le scorsonère qui, pour cette raison, est généralement préféré.

LE TOPINAMBOUR

On vit à la télévision, il y a quelques années, un chef indien fraîchement arrivé d'Amazonie, venu émouvoir les téléspectateurs sur le sort tragique de ses frères et des grandes forêts tropicales où ils survivent. Cette affaire, qui ne fut guère du goût du gouvernement du Brésil, mis publiquement au ban des nations, a connu de célèbres précédents. En avril 1613, six Indiens Tupinambus originaires eux aussi du Brésil furent présentés à la reine à l'initiative du sieur de Razilly. « En passant par Rouen, il les fit habiller à la française car, selon la coutume du pays, ils vont tout nus, hormis quelque haillon noir qu'ils mettent devant leurs parties honteuses. Les femmes ne portent du tout rien. Ils ont dansé une espèce de branle sans se tenir par les mains et sans bouger d'une place. Leur violon était une courge, comme celle dont les pèlerins se servent pour boire, et dedans il y avait comme des clous et des épingles... » Le climat parisien ne convint malheureusement guère à ces naturels, dont trois moururent deux mois après leur arrivée. Aussi s'empressa-t-on de baptiser les survivants, le roi acceptant d'être leur parrain. Ce qu'ils devinrent par la suite, nul ne le sait.

Or, dix ans plus tôt, en 1603, Champlain, gouverneur du Canada, avait découvert le premier un légume dont les tubercules étaient fort appréciés des Indiens Hurons et Algonquins. L'épisode des Tupinambus valut à ces tubercules le nom de *topinambours*, parce qu'ils étaient, croyait-on, la nourriture commune des Indiens.

Le topinambour eut l'air de plaire aux Français et connut d'emblée une vogue rapide, sans avoir à traverser une longue phase de purgatoire, comme ce fut le cas de la plupart des légumes d'origine américaine. Naturellement, le topinambour a malgré tout ses détracteurs, et De Combles, par exemple, dans son *École du potager*, déclare tout net que le topinambour est « le plus mauvais légume dans l'opinion générale » — opinion qui, en vérité, était d'abord celle de l'auteur, car le topinambour, prolifique et fécond, ne se portait pas si mal que ça dans l'idée des Français, lesquels appréciaient sa chair au goût si curieusement semblable à celui du fond d'artichaut. D'où son nom vulgaire d'« artichaut du Canada » ou, en anglais, de *Jerusalem atichoke* (*Jerusalem* étant ici une corruption de l'italien *girasole*, nom commun du tournesol).

C'est que le topinambour, comme le tournesol, appartient au genre *Helianthus*, étymologiquement « fleur de soleil ». En effet, ces plantes orientent leurs gros capitules floraux jaunes vers le soleil — avec une précision, il est vrai, qui n'a rien de militaire. Cette capacité s'est même partiellement perdue pour bon nombre de variétés cultivées dont les critères de sélection portèrent davantage sur la taille du capitule pour les tournesols — ou sur la qualité des tubercules pour le topinambour — que sur l'exactitude de leur rotation diurne. Il n'en reste pas moins que ces plantes orientent toutes leurs capitules dans la même direction, celle qui correspond sans doute pour elles à un ensoleillement optimal. Toujours est-il que le topinambour était déjà un légume fort prisé quand la pomme de terre ne servait encore qu'à nourrir les cochons ou les prisonniers de guerre en Allemagne.

Dans sa croisade en faveur des légumes destinés à triompher des sécheresses, Parmentier ne dissocie pas le topinambour de la pomme de terre, consacrant à l'un et à l'autre un égal effort de promotion. Il insiste sur son goût de « cul d'artichaut », qui le fait rechercher par les amateurs de ce légume, et il indique les moyens de le manger à la sauce blanche, de le fricasser au beurre avec des oignons, d'en relever la fadeur avec de la moutarde, montrant qu'on peut aussi utiliser sa racine et ses feuilles pour la nourriture du bétail. Comme chez ses cousins de la famille des astéracées (ex-composées), le tubercule ne contient pas d'amidon — autre caractéristique par laquelle il se rapproche de la chimie de l'artichaut. Sa teneur élevée en inuline, sucre condensé à base de fructose, l'indique dans le régime des diabétiques, dont il respecte la glycosurie. Il convient également aux uricémiques en raison de sa faible teneur en protéines.

Le triomphe de la pomme de terre, qui a fini par s'imposer sans concurrence à partir du XIXe siècle, a porté ombrage au topinambour. Mais celui-ci est bien un aliment pour périodes de disette, comme l'avait suggéré Parmentier et comme on le vit lors de la Deuxième Guerre mondiale, où topinambours et rutabagas revinrent en force sur les marchés et dans les cuisines, provisoirement destinés à faire office des deux mamelles de la France occupée. Si la disette est due à la sécheresse, sachons que le topinambour prospère allégrement sur des sols de mauvaise qualité, impropres à la culture de la plupart des autres végétaux alimentaires. Se plaisant dans des sols légers et secs, il représente un excellent légume pour périodes de vaches maigres !

CHAPITRE IV

Les racines condiments

L'AIL

On se souvient de Maître Jacques qui ne savait s'il lui fallait, pour écouter les instructions de son maître Harpagon, revêtir sa souquenille de cuisinier ou sa livrée de cocher. De même, faut-il aborder l'ail coiffé du bonnet blanc du maître queux ou du bonnet noir du docteur ? Écrire sous l'inspiration de messire Gaster ou au nom d'Esculape ? Ce végétal appartient, en effet, à l'art culinaire au même titre qu'à l'art médical, et sa réputation, établie sur des traditions ancestrales, a remarquablement résisté à l'atteinte des siècles.

Ail viendrait du mot celtique *all* qui signifie chaud, brûlant, allusion aux propriétés de la plante. Originaire des steppes de l'Asie centrale, il fut cultivé en Chine, en Mésopotamie et en Égypte depuis les temps les plus reculés. Les Chinois désignent l'ail par un signe unique, ce qui est ordinairement l'indice d'une espèce spontanée ou très anciennement connue. Vers 2600 avant Jésus-

Christ, Kheops, deuxième souverain de la IVe dynastie pharaonique, entreprit la construction de la plus grande des pyramides de Gizeh. Le chantier mobilisa 100 000 hommes, relevés tous les trois mois pour mener à bien cette gigantesque entreprise. Des aulx étaient offerts comme provision aux ouvriers et, explique Hérodote, « on a gravé sur la pyramide, en caractères égyptiens, combien on a dépensé pour les ouvriers en radis, en oignons et en aulx. Celui qui interpréta cette inscription me dit que cette dépense se montait à 1 600 talents d'argent ». Malheureusement pour les amateurs d'ail, son crédit augmenta à tel point qu'il finit par prendre place parmi le Panthéon égyptien ; on put alors invoquer son nom et celui de l'oignon dans les sermons, mais défense fut faite d'y goûter !... Interdiction qui ne s'imposait pas aux Hébreux, soumis au joug de l'Égypte, et qui, en pérégrination dans le désert du Sinaï, regrettèrent tant « les concombres, les melons, les poireaux, les oignons et les aulx du pays d'Égypte ». Dès leur arrivée en Palestine, les Hébreux mirent à profit leurs connaissances sur la culture de l'ail, acquises en Égypte, pour cultiver ce légume sur vaste échelle, notamment pour le régal des moissonneurs.

L'époque gréco-romaine conféra à l'ail une double réputation : celle d'un condiment, voire d'un mets de choix, mais que son odeur excluait des tables aristocratiques ; et celle de fortifier l'ardeur des combattants. On lit, dans *Les Acharniens* d'Aristophane, la plainte de Diceopolis, qui se croit perdu et incapable de garder sa vigueur parce qu'on lui a volé son ail : « Ah ! malheureux, dit-il, je suis perdu. Les Odomantes m'ont volé mon ail, voulez-vous bien me rendre mon ail... — Misérable, lui répond Théodorus, garde-toi d'attaquer les hommes qui ont mangé de l'ail ! »

Mais l'ail n'était point prisé de la sorte dans toute la Grèce antique. Ainsi, l'entrée du sanctuaire de Cybèle était interdite à qui en avait mangé. S'étant endormi dans le temple de la mère des dieux après avoir transgressé cet interdit, le philosophe Stilphon vit en songe Cybèle lui dire : « Tu es philosophe, Stilphon, et cependant tu violes les lois sacrées ! » Et lui de répondre : « Donne-moi donc de quoi manger, et je ne me nourrirai plus d'ail ! »

Dans la Rome antique, l'ail était devenu une nourriture ordinaire de la plèbe et surtout des soldats romains, au point qu'il devint un symbole de la vie militaire.

On se souvient de la naissance d'Henri IV : à peine venu au monde, son grand-père Henri d'Albret se fit donner une gousse d'ail « dont il frotta ses petites lèvres, lesquelles se fripèrent l'une contre l'autre comme pour sucer ». Ravi de ces signes de vigueur précoce, Henri d'Albret s'écria : « Va ! Va ! Tu seras un vrai Béarnais ! » La consommation d'ail était, il est vrai, en ce temps mais aujourd'hui encore, particulièrement abondante dans tout le Midi, dont l'aïoli reste l'un des premiers symboles alimentaires. Et les musulmans qui rencontrèrent les croisés furent plus épouvantés par leur forte odeur d'ail que par leurs clinquantes armures.

L'ail est une curiosité botanique. Comme ses cousins et cousines l'oignon, l'échalote, le poireau, la ciboule et la ciboulette, il appartient à la famille des liliacées. Ses fleurs sont donc construites selon l'architecture propre au lys et à la tulipe : six pièces colorées, six étamines et, au centre, un ovaire à trois loges formé par la concrescence de trois feuilles modifiées et réduites. Mais si les fleurs de la tulipe comme celles du lys, sont somptueuses, les fleurs de l'ail, en revanche, sont minuscules. Ces fleurs sont enfermées avant la floraison dans une grande bractée membraneuse munie d'une longue pointe ; chaque fleur est portée par un long pédoncule et ne fleurit pratiquement jamais, tout au moins sous le climat français. Curieusement, ces fleurs sont souvent remplacées par de minuscules bulbilles. L'ail, dont les fleurs fleurissent si difficilement, et qui donne très rarement des graines, a inventé ce moyen de multiplication par voie végétative non sexuée. Bulbilles ou petits bulbes sont aptes à donner naissance, quand ils sont mis en terre, à de nouveaux pieds d'ail.

L'autre voie de reproduction, également asexuée, est le *caïeu*. Caïeu est le nom scientifique pour « gousse ». Le bulbe en produit de 12 à 16, tassés les uns contre les autres, enveloppés dans une tunique membraneuse blanchâtre. Ces caïeux sont disposés sur un plateau commun et chacun est recouvert à son tour d'une coriace tunique.

On distingue généralement les variétés sans hampe

florale, où la reproduction s'effectue entièrement par les « gousses », des variétés avec hampe florale porteuse de nombreuses bulbilles aériennes, entremêlées de fleurs stériles. Ces variétés ne comportent que de 4 à 10 gousses, plus grosses et plus fragiles. La reproduction se fait au printemps par culture soit de gousses, soit de bulbilles aériennes qui donneront un petit bulbe la première année, puis un bulbe composé l'année suivante.

Les variétés sont peu nombreuses, fait assez rare pour un légume aussi anciennement cultivé. Cela est dû probablement au fait que la plante ne fleurit pour ainsi dire jamais dans nos régions et qu'elle se multiplie exclusivement à l'aide de caïeux, ce qui supprime la possibilité de variations et d'améliorations par voie sexuée. Mais on peut rapprocher de l'ail trois espèces voisines : l'échalote, la ciboule et la ciboulette, les deux dernières étant cultivées pour leurs feuilles consommées comme fines herbes.

Fortement antiseptique, l'ail servait à la préparation d'un vinaigre dit « des quatre voleurs » : lors de la grande peste qui sévit à Marseille en 1726, quatre voleurs se protégèrent de la contagion grâce à ce remède qui leur permettait, dit-on, d'aller piller sans crainte les maisons où sévissait le fléau. À ces propriétés antiseptiques, fongicides et bactéricides, s'ajoutent les effets vermifuges particulièrement nets dans la lutte contre les nématodes comme l'ascaris. Ces propriétés sont dues à la présence d'une huile essentielle volatile, l'aliine, qui, sous l'effet d'une enzyme spécifique, dégage de l'alicine, responsable de la forte odeur sulfurée de l'ail ; c'est cette odeur qui lui valut, à travers toute son histoire, et sa renommée et sa suspicion auprès des fins gourmets. Mais l'ail est aussi un médicament des voies respiratoires et de l'hypertension, qu'il corrige. Il possède enfin des propriétés diurétiques attribuables au fructosane ainsi qu'à l'essence qu'il contient. Des travaux récents ont mis en évidence les propriétés de l'ail comme hypocholestérolémiant : les taux de cholestérol et de triglycérides sanguins sont, grâce à lui, significativement abaissés. D'où un effet heureux sur l'artériosclérose et l'hypertension, déjà signalé.

On l'utilisait jadis comme antiseptique dans diverses maladies, la peste et le choléra notamment ; ses indications ont subsisté jusqu'à nos jours, mais avec des finalités moins ambitieuses. L'ail entre dans la composition d'antiseptiques pulmonaires, de vermifuges, de médicaments hypotenseurs et anticholestérolémiants. On peut dire que ses états de service sont aussi brillants dans l'alimentation qu'en médecine où son honorabilité n'est plus à mettre en cause. L'ail médicament vaut bien l'ail aliment !

L'OIGNON

Comme l'ail, l'oignon appartient à la famille des liliacées. Et pourtant, quelle différence entre les fleurs d'oignon et celles de tulipe, prototype de la famille ! Tandis que cette dernière est en grande tenue et ne produit qu'une fleur, les fleurs de l'oignon sont minuscules ; mais la quantité compense ici la qualité. Ces fleurs innombrables se déploient en une belle ombelle parfaitement sphérique. L'oignon possède donc la fleur type des liliacées, produite en modèle réduit et en série. On y retrouve toujours l'architecture classique de cette famille où les fleurs sont construites sur le « type 3 », avec 3 + 3 pièces colorées, 3 + 3 étamines, et un pistil formé de 3 pièces et de 3 loges. Mais la fleur qui se déploie dans la tulipe en prenant ses aises se rétrécit ici à l'extrême et s'agglomère à des centaines de consœurs pour faire du volume. Le botaniste amateur aura du mal à comprendre que deux plantes aussi différentes puissent appartenir à la même famille botanique ; mais, de fait, elles ont bien la même architecture florale. Et c'est sur les types d'architectures florales qu'ont été fondées les classifications botaniques.

L'oignon est une plante bisannuelle dont la tige très contractée donne naissance, en dessous, à des racines nombreuses, blanchâtres et peu ramifiées et, au-dessus, à des feuilles dont la base charnue, renflée et embrassante, forme le bulbe. En général, l'oignon forme son bulbe durant la première année de végétation, puis il en épuise les réserves la seconde année pour sa floraison et sa fructification ; ensuite, il périt entièrement, bulbe compris. Mais l'oignon est très proche parent de l'ail et, comme pour ce dernier, il arrive quelquefois que, en lieu et place de fleurs, les inflorescences portent des bulbilles ; il arrive même parfois, dans certaines variétés, que de nombreux caïeux entourent le bulbe. L'oignon a donc un triple mode de reproduction : la reproduction sexuée par ses fleurs et, potentiellement, une double reproduction végétative par son bulbe dans tous les cas, parfois par ses caïeux et ses bulbilles.

L'oignon est originaire d'Asie occidentale ; on le récolte encore à l'état sauvage au Pakistan, en Afghanistan et en Iran. Les Sumériens le cultivaient déjà il y a 6 000 ans. Puis, d'Asie, l'oignon passe en Égypte où il est présent dans de nombreuses découvertes archéologiques vieilles de 3 000 ans avant notre ère. Des fresques funéraires le représentent souvent à côté d'une botte d'ail, parmi les plantes rituelles accompagnant les morts au royaume des ténèbres. Et il est certain qu'il faisait partie de l'alimentation des ouvriers qui construisaient les pyramides. Les Hébreux errant dans le désert du Sinaï regrettaient les aulx et les oignons du pays d'Égypte : « Les Israélites recommencent à se plaindre. Qui nous donnera de la viande ? disent-ils. Qu'il était bon, en Égypte, le poisson que nous mangions pour rien. Ah ! les concombres, les melons, les poireaux, les oignons et l'ail d'autrefois ! À présent, nous n'avons plus de force et rien à avaler, rien que de la manne[1]... »

Les Égyptiens étaient allés jusqu'à réserver à l'oignon et à l'ail les honneurs destinés aux immortels. Ainsi déifié, l'oignon était devenu sacré, au point qu'il n'était plus licite au peuple d'y porter

---

1. *Nombres,* 11/4-6.

une dent sacrilège. Les prêtres de Péluse invoquaient, pour justifier cette prohibition, que l'oignon fait pleurer et excite la faim et la soif ; pour cette raison, il ne pouvait donc ni servir les jours de fête où les pleurs ne conviennent pas, ni les jours de jeûne où il est interdit de manger et de boire. Pline confirme cette étrange déification, indiquant que les Égyptiens juraient par l'ail et par l'oignon, ainsi qu'ils avaient coutume de le faire par les noms de leurs dieux. Plus tard, les apologistes chrétiens, pour les besoins de leur argumentaire et de leurs polémiques avec les païens, ont consacré de bonne foi l'opinion que les Égyptiens adoraient l'oignon.

Les Grecs n'appréciaient pas l'odeur que l'oignon donnait à l'haleine, ce qui n'empêcha pas Rome d'en faire d'abondantes cultures. Sa consommation était réservée aux classes populaires, comme on le voit dans une scène du *Pœnulus* de Plaute dans laquelle Anthimonide qualifie Hannon de « gueux plus bourré d'ail et d'oignons que tous les forçats des galères de Rome ». L'oignon, comme l'ail, était réputé donner force et ardeur aux soldats.

Le Moyen Âge lui fit honneur et une table bien servie comportait toujours un plat d'oignons ; comme disait le proverbe, « si tu te trouves sans chapon, sois content de pain et d'oignon ».

Le bulbe d'oignon contient de 10 % à 40 % de fructosane, de 10 % à 15 % de sucre réducteur et un peu de saccharose. On y a caractérisé également des composés polyphénoliques du type des flavonoïdes, connus pour leurs propriétés diurétiques. L'odeur est due à une essence fortement lacrymogène de nature sulfurée, comme celle de l'ail.

C'est à ces corps que l'oignon doit son goût et ses vertus : parmi celles-ci, les propriétés diurétiques doivent être signalées en tout premier lieu, car elles sont incontestables et puissantes. Il présente également des propriétés hypoglycémiantes susceptibles de faire tomber le taux de glucose sanguin. Enfin, le jus et l'essence d'oignon sont fortement bactériostatiques à l'état frais, qualité partagée avec l'ail et qui résulte de l'étroite parenté de leur composition chimique.

L'oignon contient en outre de la provitamine A, des vitamines B1, B2 et une forte proportion de vitamine C, surtout dans les feuilles, trois fois plus riches que le bulbe. Comme il se stocke facilement, il représente une des sources hivernales de vitamine C les plus accessibles.

L'ÉCHALOTE

L'échalote est originaire des pays du bassin méditerranéen au même titre que le poireau et la ciboulette. Sa présence dans l'Antiquité est incertaine. En revanche, on la connaît déjà sous Charlemagne, car elle figure dans le célèbre capitulaire *De Villis*. Le nom de l'échalote, similaire dans toutes les langues, rappelle la légende selon laquelle les croisés l'auraient rapportée de la ville d'Ascalon, en Palestine. Au moment de lui donner un nom botanique, Linné et de Candolle manifestent un désaccord : le second estime qu'elle n'est qu'une variété d'oignon, tandis que le premier en fait une espèce distincte.

L'échalote, en tout cas, est très proche de l'oignon, tant par ses caractères botaniques que par sa composition chimique ; c'est une sorte d'oignon à plusieurs bulbes et qui, comme l'ail, ne fleurit pas, car ses fleurs sont stériles. Ses bulbes ont une forte capacité de résistance et peuvent être conservés jusqu'à deux ans sans se remettre à pousser.

L'échalote, comme l'ail et l'oignon, recèle une huile essentielle contenant des dérivés soufrés irritants et lacrymogènes. Elle est aussi, comme l'oignon, une source précieuse de vitamines C et B, et possède enfin une nette action désinfectante.

LE POIREAU

« Malgré son aspect de pitre blafard qui, la tête en bas, dresse en l'air ses jambes pantalonnées de vert, malgré la tignasse blanche qui se hérisse en un toupet grotesque sur son crâne déprimé de crétin microcéphale emmanché d'un cou rigide et démesurément long, le poireau a le droit de s'enorgueillir, comme l'ail et l'oignon, de l'ancienneté de sa généalogie... » C'est en ces termes que Henri Leclerc qualifie le malheureux poireau. Et il poursuit : « Peut-être même est-ce cela qui lui a, si j'ose m'exprimer ainsi, fait perdre la tête, cette tête robuste, divisée en plusieurs caïeux, à laquelle on reconnaît son ancêtre, l'*Allium ampelopra-sum*, ail d'Orient ou poireau des vignes, qui croît abondamment dans la région méditerranéenne. »

Un poireau qui a en somme perdu la tête, laquelle était jadis divisée en plusieurs caïeux, comme l'ail. Ce poireau sauvage était déjà abondamment cultivé en Égypte, ainsi qu'en Grèce et à Rome. L'empereur Néron faisait une forte consommation de poireaux ; il en mangeait ordinairement chaque mois, à jour nommé, pour avoir meilleure voix ; il ne l'accompagnait ni de pain ni d'aucune viande, ne prenant que des poireaux à l'huile. Ce légume était réputé posséder des propriétés émollientes susceptibles, comme l'herbe au chanteur, de soulager la trachéite et de rendre la voix à ceux qui n'en ont plus. Cette propriété est due à sa teneur élevée en mucilage ainsi qu'en cellulose. Ces deux matières sucrées lui confèrent en même temps des propriétés laxatives ; le poireau agit à la façon d'un « coup de filet » qui rassemble et englobe les particules vagabondes du contenu intestinal pour en faire un bol alimentaire cohérent susceptible de glisser élégamment à travers les voies intestinales... Il manifeste enfin des propriétés diurétiques.

Le Moyen Âge a fait grand cas du poireau : la *porée*, soupe aux poireaux et à d'autres herbes, était sur toutes les tables, mais surtout populaires. Les habitants d'Artois et de Picardie étaient grands consommateurs de poireaux devant l'Éternel ! Et, en Angleterre, le poireau était si populaire qu'on se livrait à des concours : on décernait une récompense à qui obtenait le plus gros poireau (jusqu'à 2,5 kg).

Le goût du poireau, bien que très marqué, est cependant moins tenace que celui de son cousin l'oignon.

Comme le poireau est bisannuel, on ne le voit monter en graines que tous les deux ans, c'est-à-dire en fait jamais, puisqu'on le récolte au terme de sa première année de croissance. Monté, il présente sa belle inflorescence en ombelle sphérique qui accuse plus encore son cousinage avec l'ail et l'oignon.

Le poireau est riche... en eau ! C'est un aliment particulièrement léger. Ses propriétés émollientes sont mises à profit pour soigner laryngites, trachéites et autres bronchites. On l'a même utilisé pour faire refluer dans l'estomac des corps étrangers restés fichés dans l'œsophage. Ainsi, le docteur Mougeot, utilisant des poireaux d'un diamètre convenable, put débarrasser un œsophage de divers corps étrangers dont voici la liste : deux fois des os d'alouette, un pruneau tout entier, deux noyaux de pêche, quatre fois des arêtes de poisson, un os de mouton, deux fois des couennes de lard mal bardifiées...

CHAPITRE V

Les légumes tiges

L'ASPERGE

L'asperge est une plante vivace : d'une puissante touffe de racines jaillissent chaque printemps des rejets charnus et légers appelés turions. Sur ces derniers, d'une couleur allant du blanc ivoire au vert violacé, se développent des feuilles en écailles serrées contre l'axe principal du turion et le recouvrant tout entier à l'extrémité. Si le turion n'est pas coupé à temps, il donnera des tiges de 1 m à 1,50 m de hauteur, très ramifiées ; ces ramifications ne portent pas de feuilles, mais des organes spéciaux que les botanistes qualifient de cladodes. Ce sont, en fait, des tiges secondaires filiformes qui se découpent et se ramifient finement, simulant un appareil foliaire particulièrement lacinié. Les feuilles proprement dites sont réduites à de minuscules écailles. Sur ces tiges nodifiées apparaissent des fleurs mâles ou femelles, suivant que le pied possède l'un ou l'autre sexe, car les asperges séparent les sexes et ne pratiquent point la promiscuité. Ces fleurs sont très discrètes, les fleurs femelles donnant à maturité de jolies baies rouge vif de la grosseur d'un pois contenant des graines noires.

Pour obtenir des turions, qui sont des organes étiolés par enfoncement dans le sol et manque de lumière, donc de chlorophylle, l'on doit butter les asperges chaque année au printemps. Jadis, selon Caton, les Romains les cultivaient en fosses, et cette pratique perdura jusqu'au XIXe siècle. L'asperge est donc une plante tout à fait originale qui sépare les sexes, qui fait avorter ses feuilles en les remplaçant par des organes *ad hoc*, qui produit de jeunes tiges monstrueuses dont l'aspect phallique, lorsqu'elles sont grosses, n'a pas manqué de frapper divers auteurs... Ne disait-on pas d'ailleurs que la corne de bélier pilée était excellente pour faire venir les asperges ? Cette forme phalloïde des turions d'asperges était l'indice, pour Pline, de vertus aphrodisiaques que Dioscoride, en revanche, conteste vigoureusement. Propriétés aphrodisiaques tout à fait contestables, en effet, et qui n'ont jamais pu être confirmées, pas plus que la propriété inverse qui ferait des asperges un agent de stérilité... Ce qui n'empêcha pas les ligueurs de reprocher à Henri III de faire servir des asperges dans les somptueux banquets qu'il offrait à ses mignons.

L'asperge est un légume noble, même si nos ancêtres du Moyen Âge n'en faisaient pas grand cas. En revanche, les peuples de l'Antiquité, de l'Égypte à Rome, en passant par la Grèce, contribuèrent à sa bonne réputation dans les récits qu'ils nous en ont laissés. Cultivée dès le XIᵉ siècle à Byzance, elle connaît une grande expansion en Europe occidentale à partir du XVIᵉ siècle, et sa culture intensive dans la région d'Argenteuil remonte à 1805. La Quintinie fut le premier à cultiver l'asperge hors saison pour la table de Louis XIV.

Les avis divergent sur ses éventuelles propriétés diurétiques qui furent tantôt affirmées, tantôt contestées. On sait aujourd'hui que l'asperge est un diurétique, mais qu'elle peut avoir une action irritante sur les reins. Un consommateur d'asperges émet, peu après l'ingestion, une urine contenant des substances soufrées d'odeur très caractéristique.

L'asperge cultivée diffère peu du type sauvage et ne fournit qu'un nombre de variétés limité. Aliment léger, l'asperge n'exige que quelques minutes de cuisson pour dégager son arôme si particulier. Suétone rapporte que l'empereur Auguste utilisait volontiers la locution : « En moins de temps qu'il n'en faut pour cuire des asperges ». Les asperges sont servies accompagnées tantôt d'une sauce blanche, tantôt d'une vinaigrette, chacun ayant en la matière sa préférence. On raconte l'histoire de Fontenelle, qui avait invité à partager sa table un abbé réputé pour son embonpoint et son amour de la bonne chère. Fontenelle tenant pour les asperges à la vinaigrette et l'abbé pour les asperges à la sauce blanche, on convint que la botte serait répartie en deux lots, accommodé chacun au goût des consommateurs. Mais à peine cette décision prise, l'invité s'affaisse, foudroyé par l'apoplexie, et Fontenelle de s'élancer vers la cuisine en criant d'une voix tremblante d'émotion : « Thérèse, toutes les asperges à l'huile ! »

Bien que la longévité légendaire de Fontenelle semble plaider en faveur des asperges, on considère aujourd'hui qu'elles sont peu recommandées aux malades des reins et aux personnes sensibles des voies urinaires. La racine d'asperge entre néanmoins dans le fameux « sirop des cinq racines », médicament diurétique où elle figure en compagnie de celles du fenouil, de l'ache, du persil et du petit houx.

La valeur alimentaire des asperges est réduite. Très riche en eau, l'asperge est peu nutritive. Elle se savoure plus qu'elle ne nourrit. Et elle illustre à ce titre le cas de figure d'un légume à très faible apport calorique, mais néanmoins utile à l'alimentation par son apport en fibres végétales.

On regroupe sous ce terme de fibres végétales un ensemble de substrats de nature glucidique, peu digestibles dans l'intestin grêle, mais désagréables par la flore microbienne du gros intestin. Ces nutriments permettent de prévenir pour une large part la pathologie du colon, comme le prouvent les enquêtes épidémiologiques menées au sein des populations à tendance végétarienne. Par des effets multiples qui commencent à être appréhendés par les nutritionnistes, les aliments végétaux jouent un rôle de « prévention nutritionnelle » contre les cancers, l'artériosclérose, l'obésité et le diabète de l'âge mûr, surtout grâce aux fibres, certes, mais aussi grâce à d'autres constituants :

lipides insaturés jouant un rôle important dans la prévention du cholestérol, tannins, flavonoïdes, etc.

Aussi est-on loin aujourd'hui de ne considérer les légumes que sous le seul aspect de leur apport calorique. On sait désormais qu'ils jouent un rôle décisif dans l'équilibre du tube digestif et dans la prévention des maladies liées à une mauvaise hygiène nutritionnelle.

CHAPITRE VI

Les légumes feuilles

LA BETTE ET LA BETTERAVE

Ces deux légumes, si différents d'un point de vue morphologique, sont pourtant très apparentés du point de vue botanique. L'un et l'autre viennent en effet d'une souche commune : la bette maritime, espèce spontanée des bords de l'océan Atlantique et de la Méditerranée. De la culture de la bette ont dérivé deux plantes, l'une aux feuilles généreuses et à la racine pudique — la bette, précisément —, l'autre au feuillage plus modeste mais à la racine puissamment renflée et charnue — la betterave potagère. L'une et l'autre étaient déjà connues des Grecs et des Romains. Ne voit-on pas Cicéron raconter dans une lettre à son ami Gallus les coliques qu'il endura dix jours durant après avoir mangé un ragoût de bettes et de mauves : « La diarrhée m'a pris si bien que je commence aujourd'hui seulement à en espérer la fin. Ainsi, moi à qui il en coûte si peu de m'abstenir d'huîtres et de murènes, me voilà sottement pincé par des bettes et de la mauve ! » Les Romains des classes pauvres faisaient grand usage des soupes de bette. Mais, selon Pline, les médecins considéraient la bette comme de qualité très inférieure au chou.

Au Moyen Âge, la bette était l'ingrédient principal de la plus populaire des soupes : la *porée*, ce qui lui valut d'ailleurs le nom de *poirée*. Avant la création des Halles de Paris, le premier marché aux légumes de la capitale se déroulait rue du Marché-à-la-Poirée. *Poirée* prit ensuite le sens plus général de légume vert.

Mais la betterave fournit également ses grosses racines tubéreuses avec des variétés à chair jaune et des variétés à chair rouge. Ces dernières doivent leur forte pigmentation à des pigments azotés caractéristiques de l'ordre botanique des centrospermales et de lui seul, auquel les chénopodiacées, famille de la betterave, appartiennent. Cette betterave rouge est une variété de betterave potagère. Mais il existe aussi les betteraves fourragères et les betteraves sucrières.

En effet, les racines de betterave contiennent du saccharose, que le chimiste Marggraf identifia en 1757 au sucre extrait de la canne à sucre. Le sucre figurait au Moyen Âge sur la liste des épices. Les Arabes avaient effectué des plantations de cannes en Tripolitaine, l'actuelle Libye, et c'est là que les croisés virent pour la première fois de telles plantations. Ils baptisèrent « sel blanc » le sucre qu'ils voyaient cristalliser dans les vases où les solutions sucrées étaient mises à évaporer. Le sucre était rare et cher ; le miel, abondant et bon marché, était la matière sucrante couramment utilisée depuis l'Antiquité. Il fallut beaucoup de temps pour que le sucre se substituât au miel dans les pâtisseries et autres usages.

À la veille de la Révolution, la France était devenue, grâce à ses colonies des Antilles, la première productrice de sucre en Europe, remplaçant en cela la Venise du Moyen Âge. Mais, dans sa lutte contre l'hégémonie napoléonienne, le 16 mai 1806, l'Angleterre déclara le blocus des côtes européennes, interdisant les ports français notamment aux navires sucriers. La France répliqua en décidant à son tour le boycott des marchandises anglaises : ce fut le Blocus continental, décrété le 21 novembre 1806. Ce qui n'empêcha pas le sucre anglais d'entrer clandestinement sur le territoire français ; ce qui n'empêcha pas non plus des navires français de déjouer le blocus anglais. Bref, une certaine « porosité » subsistait dans les échanges.

Mais, en 1810, Napoléon renforce le Blocus continental ; il ferme tous les ports d'Europe aux produits britanniques, espérant ainsi ruiner l'Angleterre et la contraindre à capituler. L'Europe commence alors à manquer de sucre et l'Empereur invite les savants français à trouver un sucre de remplacement. On s'intéresse alors au sucre de betterave, mais l'Académie des sciences, si souvent prompte à se tromper, donne un avis tout à fait défavorable à ce sujet.

Devant le spectre de la pénurie, l'Empereur change de stratégie et décide d'acheter à l'Angleterre le sucre dont la France et l'Europe ont besoin, quitte à revendre avec de substantiels bénéfices aux États européens le surplus de nos importations britanniques. Bien entendu, les nations européennes renâclent à se retrouver ainsi taillables et corvéables à merci.

Aimant avoir toujours deux fers au feu, l'Empereur encourage simultanément les cultures de betterave, affectant 42 000 hectares à cet effet. Le 2 janvier 1812, le ministre Chaptal signale à l'Empereur que le banquier Benjamin de Leysser, aidé du pharmacien Deyeux, a réussi à épurer le sucre de betterave. Napoléon se rend sur-le-champ à la fabrique de Passy ; il est enthousiasmé par ce qu'il y voit : les premiers pains de sucre de betterave. Il ôte sa croix de la Légion d'honneur et en décore de Leysser. Aussitôt, cinq écoles de chimie sucrière sont fondées.

Vint l'effondrement de l'Empire. L'invasion brutale du sucre de canne transforma aussitôt le sucre de betterave en un ersatz censé être balayé par le retour de la paix. Mais le gouvernement de la Restauration fit front et décida de soutenir l'industrie sucrière française, malgré les fortes pressions de sucriers antillais. Ce qui n'empêcha pas Lamartine, en 1843, de se faire devant la Chambre des députés le défenseur d'un projet de loi visant à interdire absolument la fabrication du sucre de betterave. Ce projet fut repoussé à 4 voix de majorité. Le gouvernement devait dès lors lutter sur deux fronts, s'efforçant d'égaliser les droits de douane sur le sucre de canne et les taxes intérieures sur son concurrent, le sucre de betterave. En bonnes gens du Nord qu'ils étaient, les betteraviers ne cessèrent d'améliorer leur rendement et leur raffinage, de sorte qu'à la fin du XIXᵉ siècle le sucre de betterave l'emportait sur le sucre de canne par une victoire de 3 à 2, les betteraves produisant les 3/5 de la consommation mondiale en 1890. En quatre-vingts ans, elles s'étaient imposées sur le marché du sucre.

Les champs de betteraves les plus productifs, avec un rendement fabuleux de 10 tonnes de saccharose à l'hectare, soit 1 kg au m², battent un double record : celui de la production de saccharose à l'hectare et celui du rendement photosynthétique. La photosynthèse réalise ici ses résultats les plus performants, aucun milieu naturel n'atteignant une telle productivité.

LE CHOU

Le chou est un légume qui se décline en un nombre impressionnant de formes et de variétés. Qu'on en juge !

Voici d'abord les choux pommés ou cabus, dont la tige atrophiée permet aux feuilles de s'imbriquer étroitement pour former une pomme plus ou moins serrée. Puis les choux verts ou frisés, dont les amples feuilles ne se nouent jamais en une pomme. Viennent ensuite les choux de Milan, sorte de synthèse entre les deux précédents, puisqu'ils sont à la fois pommés et frisés. Sans oublier les choux rouges, qui ne diffèrent des choux pommés que par la rutilence de leur feuillage. À quoi s'ajoutent les choux-raves, dont la tige renflée au-dessus du sol forme un bulbe volumineux ; et les choux-navets ou rutabagas, où l'hypertrophie porte cette fois sur la racine. Les choux de Bruxelles résultent du développement de minuscules bour-geons latéraux situés à l'aisselle des feuilles. Quant aux choux-fleurs, c'est à la monstruosité de leur hampe florale, atrophiée et raccourcie, qu'ils doi-vent leur belle pomme blanche. N'oublions pas enfin les brocolis, dont on consomme les pousses violettes et charnues à la manière des asperges.

« Les choux m'ont toujours fait penser à ces familles nombreuses où l'on voit représentés les types les plus variés de l'humanité », dit Henri Leclerc dans un fameux morceau d'anthologie qui mérite d'être cité... et lu le dictionnaire à la main ! « Il en est de géants et de nains, de ventrus comme des financiers et de grêles comme des poètes incompris ; certains s'adornent de frisures aux boucles robustes, d'autres ont la calvitie des vieux savants, apitoient par la teinte chlorotique de leurs tissus ou par les gibbosités qui, tels des engorge-ments strumeux, déforment leur anatomie ; si la plupart portent l'habit vert des académiciens, quelques-uns, les privilégiés de la famille Chou, arborent le violet épiscopal ou la pourpre cardi-nalice, comme celui dont il est question dans cette anecdote que j'ai lue je ne sais plus où.

Le cardinal de Richelieu étant allé visiter un couvent de capucins, un moine fut chargé de le haranguer au milieu des autres religieux réunis dans la salle du chapitre ; l'orateur, bien qu'il parût un peu gauche, s'acquitta le mieux du monde de sa mission. Richelieu le complimenta et lui demanda comment il se faisait qu'il n'eût pas été intimidé de parler devant un prince de l'Église : « C'est bien simple, Éminence, lui dit le bon moine ; je m'étais habitué à cet honneur redoutable en répétant chaque jour mon discours devant un carré de choux au milieu duquel se trouvait un gros chou rouge. »

Lorsque, en 305, l'empereur Dioclétien, grand pourfendeur de chrétiens, vieilli et usé par le pouvoir, abdiqua et se retira à Salone — la Split d'aujourd'hui —, sur la côte dalmate, sollicité par ses amis de reprendre la pourpre des Césars, il se déroba à cette invitation en disant : « Si vous pouviez voir les choux que j'ai plantés de mes mains dans mon jardin de Salone, vous ne me feriez pas une telle proposition. » Car « aller planter ses choux », c'est reprendre sa liberté. Quant à la carrière du vieil empereur, elle était, au propre comme au figuré, « dans les choux ».

Une nomenclature des choux pourrait donc s'établir comme suit.

À la racine de l'arbre généalogique, *Brassica oleracea*, tel qu'on l'observe à l'état sauvage sur les côtes de l'Océan et de la Méditerranée, en Europe occidentale et méridionale. Il est commun dans les rochers et sur les falaises maritimes, en Normandie, à Jersey, dans les Charentes inférieures. Cet ancêtre du (et des) chou(x) est une plante vivace, bisannuelle, parfois même trisannuelle, de

60 cm à 1 m de hauteur ; sa tige est simple ou ramifiée, à feuilles glauques, épaisses, amples, lobées, sinuées, ondulées. Les fleurs sont blanches ou jaune pâle : elles possèdent quatre pétales disposés en forme de croix, signe distinctif de la famille des crucifères (étymologiquement « porteur de croix »). Mais ce type primitif, modifié par plusieurs milliers d'années de culture et de sélection, a engendré des variétés et des races si distinctes au premier abord que l'on a quelque difficulté à voir en lui l'ancêtre de tous les choux. Les variations ont porté tantôt sur la tige, tantôt sur la feuille, tantôt sur la fleur.

Le chou cabus ou chou pommé, ainsi que le chou de Milan, avec ses feuilles frisées, pour ne pas dire crêpues, descendent immédiatement du chou sauvage. Connu des Grecs et des Romains, ce dernier est sans doute d'origine italienne, bien que le véritable chou de Milan, sous la forme qu'il présente aujourd'hui encore, ne soit apparu en Europe que tardivement, au XVIIe siècle. Le fait qu'il ne se prête pas à la fermentation lactique et qu'il ne donne pas de choucroute restreint quelque peu ses utilisations. En revanche, il présente des exigences culturales très faibles : il supporte des gels plus importants que le chou pommé et présente des durées de végétation beaucoup plus variables, ce qui permet de l'obtenir en toute saison. Le chou de Bruxelles est le plus jeune membre de ce groupe ; il résulte du développement des bourgeons de la tige centrale, obtenu initialement par étêtage des souches mères. Puis la sélection a favorisé des souches où les feuilles terminales pouvaient être conservées sans nuire à la formation des jeunes choux de Bruxelles. Sous sa forme actuelle, le chou de Bruxelles est apparu en Belgique en 1785 ; il entre en France en 1815 et en Angleterre en 1884 ; c'est donc le plus jeune de la lignée des choux.

La forme pommée, si caractéristique des choux, est une anomalie où la tige atrophiée, « télescopée », annihile en quelque sorte sa croissance en longueur : les feuilles s'insèrent donc pratiquement au même niveau et recouvrent densément cette tige. Elles s'imbriquent et se resserrent les unes sur les autres, formant une sorte de grosse tête appelée « pomme ». Les choux de Bruxelles présentent cette anomalie au deuxième degré, puisque, sur un seul axe, figurent de nombreuses pommes, mais petites cette fois. Et le chou-fleur traite sa hampe fleurie comme le chou pommé traite sa tige : par contraction des entre-nœuds et condensation aboutissant à une inflorescence monstrueuse de fleurs non fonctionnelles, inaptes à la reproduction sexuée et devenues tendres et comestibles. Bref, ce qui est modification pour l'horticulteur est monstruosité pour le botaniste.

Classés par valeur diététique décroissante, on portera en tête le chou rouge, suivi du chou pommé, puis du chou de Bruxelles, le plus odorant et le plus sapide ; viennent ensuite le chou-rave, puis le chou-navet, enfin le chou-fleur qui, « malgré ses allures candides et la docilité avec laquelle il se réduit en bouillie, n'est, toujours selon Henri Leclerc, qu'une piètre nourriture ». Et l'auteur d'ajouter : « Rien de plus sain, au contraire, que la choucroute qui joue un rôle bienfaisant dans la police du tube digestif. » La choucroute est une invention d'origine slave ; elle résulte d'une fermentation lactique des feuilles de choux finement divisées.

La carrière des choux s'est développée sur un théâtre d'opération strictement européen. Le chou est donc un légume exclusivement européen, fait assez rare et qui mérite d'être signalé. Les Germains et les Celtes cultivaient abondamment le chou ; les Romains n'étaient pas en reste, car ils en firent la panacée de leur pauvre pharmacopée. Ses constituants sulfurés, qui donnent au chou l'odeur caractéristique que l'on sait, indiquent dans la thérapeutique des propriétés antirhumatismales, mais de là à y voir, comme les Romains, si pauvres en médecins et en médecines, le remède universel à tous les maux, la marge est grande. Caton vante les qualités du chou en ces termes : « Si, dans un repas, vous désirez boire largement et manger avec appétit, mangez auparavant du chou cru confit dans du vinaigre, et autant que bon vous semblera. Mangez-en encore après le repas ! Le chou entretient la santé, on l'applique pilé sur les plaies et les tumeurs, il guérit la mélancolie, il chasse et guérit tout ! » Les Russes ont fait du chou l'antidote naturel de la vodka...

La domestication du chou remonte très loin dans l'histoire humaine ; des documents archéologiques témoignent que certaines formes de choux étaient déjà cultivées par les habitants des cités lacustres du néolithique. Il semble que les Basques le transmirent aux Celtes, qui ne connurent donc la culture du chou qu'après leur arrivée en Europe depuis l'Asie. Très anciennes sont aussi les variétés de chou frisé et de chou à feuilles lisses non pommées. Le chou frisé, encore appelé chou d'hiver frisé, résiste à des températures de − 10 °C, les plus basses après le chou de Bruxelles.

En hiver, le chou, toujours en place dans les jardins, règne sur les légumes et affirme sa très ancienne préséance dans le monde des plantes potagères.

Compte tenu d'une teneur toujours très forte en eau, la valeur alimentaire des choux est toute relative. Quel que soit le type de chou que l'on considère, les matières azotées ne dépassent jamais 4 %, les matières grasses 0,7 %, et les glucides 8 %. En revanche, les feuilles fraîches sont riches en vitamine C (de 100 à 400 mg/kg), d'où leur réputation fondée contre le scorbut.

La présence de dérivés sulfurés confère d'autre part à ces crucifères des propriétés antimicrobiennes, voire insecticides.

La consommation en grande quantité de choux et de rutabagas par des populations pauvres et sous-alimentées peut donner lieu à des troubles du fonctionnement de la thyroïde, avec apparition de goîtres. Des travaux finnois ont permis la mise en évidence d'une substance anti-thyroïdienne, la glucobrassicine : dans certaines conditions d'hydrolyse, il y aurait libération d'ions « thiocianates », inhibant la fixation de l'iode et, par suite, la formation de la thyroxine, l'hormone thyroïdienne. L'excès de choux chez des populations carencées en iode peut donc être nocif.

LA CHICORÉE

Y a-t-il plante plus commune que la chicorée sauvage, toujours si ardemment présente au bord des chemins ou des fossés, avec ses capitules de fleurs bleu vif et son architecture rameuse un peu dégingandée ?

Cette chicorée sauvage et sa cousine germaine, la chicorée endive *(Cychorium endivia)*, ont engendré la scarole, la frisée et l'endive. La scarole ressemble à une laitue non pommée, et la frisée présente le même aspect, mais ses feuilles sont découpées et crispées. La première est une chicorée d'hiver, la seconde une chicorée d'été. Grecs et Romains connaissaient selon toute vraisemblance les deux formes, qu'ils consommaient crues ou cuites. Mais ils ne connaissaient pas une troisième : l'endive, produite par étiolement, pratique horticole mise au point en Europe au cours du Moyen Âge.

La pratique de l'étiolement systématique a tout juste un siècle et demi, et consiste à priver la plante de lumière. Vers 1850, un certain Bresiers, chef de cultures au Jardin botanique de Bruxelles, découvre le processus de formation du chicon de chicorée ou *witloof*, c'est-à-dire « feuilles blanches » en flamand. Il cultivait ses chicorées dans les caves du Jardin botanique en l'absence totale de lumière. Il fut frappé par le fait que certaines racines donnaient de petites pommes allongées, et chercha la cause de ce développement si particulier. Il constata qu'il était dû à la présence, au-dessus des collets, d'une couche de terre exerçant une pression sur les jeunes feuilles en voie de développement, les obligeant à se maintenir imbriquées et pressées les unes sur les autres, en forme de pomme. Le mode d'obtention ainsi trouvé fut conservé secret pendant longtemps, et le *witloof* resta un légume local durant plus de vingt ans. Peu à peu, cependant, il pénétra dans la culture maraîchère des environs de Bruxelles, et la Belgique se fit exportatrice de ce nouveau légume, accueilli partout avec la plus grande faveur. En 1878, le premier cageot fut mis en vente aux Halles de Paris. Le crieur à qui l'on demanda le nom de ce nouveau légume répondit, sans plus réfléchir, « endive de Bruxelles ». L'endive était baptisée et ce nom lui resta.

Croissant dans l'obscurité, les endives sont incolores, car la chlorophylle ne peut se former qu'en présence de lumière. Les feuilles sans chlorophylle de l'endive sont donc la dernière invention perpétrée dans le groupe des chicorées. L'endive *witloof* est, à l'origine, encore amère, propriété qui disparaîtra avec un intense effort de sélection.

Les endives sont très riches en eau et leur bilan calorique est faible ; riches en cellulose, comme toutes les salades, elles contribuent à la bonne circulation du bol alimentaire dans l'intestin, et

constituent un mets particulièrement fin et rafraî-
chissant.

Les racines de chicorée servent également à
préparer la chicorée torréfiée, succédané du café ;
186 000 tonnes de racines fraîches sont traitées
annuellement en France — le quart de la production mondiale —, fournissant 40 000 tonnes de
cossettes, morceaux parallélépipédiques de racines
desséchées de 3 à 5 cm de côté, qui seront ensuite
torréfiées et concassées. Ces cossettes contiennent
une très forte teneur en inuline, un sucre condensé
à base de fructose auquel la chicorée doit ses
vertus diététiques. On y trouve de surcroît les
mêmes principes amers que dans la laitue sauvage,
ce qui lui confère des propriétés stomachiques,
diurétiques et dépuratives. Quant à sa substitution
au café, c'est évidemment affaire de goût ; on
laissera aux fins gourmets le soin de trancher, et
l'on verra que l'arbitrage rendu ne penchera sans
doute pas en faveur de la chicorée !

LE CRESSON

Voici certes une plante pimentée au sujet de
laquelle on relève d'étranges anecdotes. Laurent
Scholz rapporte, en 1584, que « le fils d'un baron
de Bohême mourut après avoir absorbé un philtre.
On trouva dans son estomac une substance dure
comme de la corne, dont le père du défunt se fit
à titre de souvenir une cuillère. Or il arriva que
cet ustensile fut dissous par du suc de cresson,

preuve évidente que ce suc possède une grande vertu contre les philtres... » Grüling, en 1668, met en scène une servante à qui, dans un repas de noces, un mauvais plaisant fit boire un philtre. La malheureuse éprouva de violentes angoisses du cœur et de la poitrine, et fut prise de vomissements tels qu'on craignit qu'elle ne rejetât tous ses viscères. Grüling conjura le maléfice au moyen de suc de cresson broyé avec du vinaigre... Voilà donc notre cresson doué de propriétés magiques et héroïques, et l'on n'en finirait pas de relater les propriétés fantaisistes qui furent attribuées à « la plante qui fait contracter le nez », comme l'indique son nom latin *Nasturtium*.

En revanche, on retiendra le bien-fondé de ses applications dans le traitement du scorbut et des catarrhes bronchiques ; en effet, à l'instar de la plupart des crucifères, le cresson contient une huile soufrée et azotée, de saveur et d'odeur très piquantes, que la moutarde s'honore de posséder à forte teneur. Le cresson se charge de surcroît de fer dès lors qu'il pousse à proximité d'une source ferrugineuse. Croissant dans les ruisseaux, il ressemble à la cardamine des champs, dont il est en quelque sorte une version aquatique. Il a été peu modifié par sélection et évoque toujours sa forme sauvage, même lorsqu'il est cultivé en cressonnière. Il se cultive en eau courante, absolument pure, à une profondeur ne dépassant pas de 10 à 40 cm. On le récolte durant les mois d'hiver, précisément lorsque les légumes frais font défaut sur les marchés. Ses fortes teneurs en provitamine

A et en vitamines B et C sont alors particulièrement bienvenues.

Apprécié des Romains, cultivé en France dès le XVIIᵉ siècle, le cresson a connu un grand développement au XIXᵉ siècle, notamment en région parisienne et en Normandie.

L'ÉPINARD

« Je n'aime pas les épinards et je m'en réjouis, car si je les aimais, j'en mangerais, et comme je ne peux pas les souffrir, cela me serait infiniment désagréable ! » C'est en ces termes cocasses qu'un joyeux plaisantin du siècle dernier exprimait son aversion tenace pour les épinards.

L'épinard offre un exemple typique des modifications que subissent des herbes sauvages pour devenir potagères. La plante primitive, sans doute dérivée, selon de Candolle, du *Spinacia tetrandra* croissant à l'état sauvage en Asie Mineure, porte des feuilles étroites en forme de hallebarde, tandis que ses fruits sont bardés de piquants. Or, l'épinard moderne a arrondi ses feuilles, amplifiées et épaissies comme le cuir d'un guerrier qui, loin des combats, a pris de l'embonpoint ; ses fruits ont perdu leurs épines et sont des plus bénins... Bref, en se domestiquant, l'épinard a perdu ses caractéristiques guerrières. Il appartient par ailleurs à ces rares plantes qui séparent les sexes, à l'instar des animaux : certains pieds sont mâles, d'autres femelles. Bref, il y a M. et Mme Épinard.

La forme sauvage de l'épinard se rencontre du Caucase jusqu'à l'Afghanistan en passant par la Turquie et l'Iran. Ignoré des peuples de l'Antiquité, il pénètre en Europe par les croisades et par la conquête arabe. Il existe d'ailleurs deux interprétations de l'origine de l'épinard : l'importation « consciente » par les croisés et par les Arabes, ou l'importation involontaire par les croisés des fruits qui se groupent en pelotes et s'agglutinent les uns aux autres, restant accrochés dans les vêtements des soldats ou sur les peaux de bêtes. Les deux versions ne s'excluent d'ailleurs pas, et il est acquis qu'il est venu de Perse par ces voies. Selon de Candolle, son nom arabe d'*esbanach* viendrait du parsi *ispany*, et se serait latinisé en *spinacia*. Le mot *spinacia* ne se rattacherait donc pas, comme certains l'ont pensé, à l'aspect épineux *(spina)* de la graine. L'épinard fut cultivé à Séville dès le XIᵉ siècle, et les médecins arabes le considéraient comme une herbe potagère des plus appréciées. Au XVIᵉ siècle, il avait gagné toute l'Europe.

Mais, avant lui, et depuis la plus haute Antiquité, les paysans préparaient des « plats d'épinards »... sans épinards ! Ces « épinards » sont des herbes cuites : choux, orties blanches, bettes, mauves, châtaignes bouillies, le tout parfois relevé d'ail et de moutarde. Ces plats d'« épinards » étaient à la base de la nourriture paysanne en Europe depuis l'Antiquité, avec la vieille bouillie de céréales néolithique et les fèves également bouillies.

L'épinard, le vrai, s'impose à la Renaissance comme beaucoup d'autres légumes en provenance d'Italie. En effet, les cuisiniers italiens qui accompagnaient Catherine de Médicis accordèrent dans les menus une place plus grande aux légumes. Des fillettes montées sur des ânes les criaient dans les rues, les fruitiers de Paris, de Lyon et autres villes de France en étaient toujours largement approvisionnés : ils les vendaient tout préparés, cuits dans l'eau, finement hachés sous forme de boules qu'on avait fait dégorger le liquide qu'elles contenaient en les pressant dans les mains ou au moyen d'un bâton ; c'était le grand régal des étudiants de Paris et surtout d'Orléans ; on les fricassait aussi avec du beurre, de l'huile, du vinaigre et du verjus ; d'aucuns mêlaient aux salades leurs feuilles crues encore jeunes. Les médecins s'accordaient à les recommander comme particulièrement favorables à l'intestin : « Celuy qui usera des espinars plutost pour avoir bon ventre que pour s'en nourrir les doit manger avec tout leur jus, duquel ils sont si pleins qu'ils peuvent estre cuits sans eau en leur propre humidité : laquelle, pour être accompagnée de certaine acrimonie, fait que les espinars sont autant ou plus laxatifs qu'aucune des herbes potagères. » En effet, l'épinard balaie l'estomac et exonère l'intestin. Louis XVIII en est grand consommateur, mais, comme il souffre de la goutte, son médecin les lui interdit, et le roi de s'écrier : « Quoi ! Je suis roi de France et je ne pourrais pas manger d'épinards ! »

Les feuilles d'épinard contiennent de fortes proportions de calcium et de fer : environ 5 mg pour 100 g de feuilles fraîches, d'où l'inclination de

Popeye pour ce légume roboratif... Des teneurs relativement élevées en matières azotées et hydro-carbonées en font le légume herbacé possédant la plus grande valeur alimentaire. Ses teneurs en provitamine A et en vitamines C et K ne sont, par ailleurs, pas négligeables. L'épinard contient en outre de l'acide folique aux propriétés antiané-miques, qui fut isolé pour la première fois de ses feuilles. Il est enfin une bonne source pour l'extrac-tion de la chlorophylle. Mais l'acide oxalique que contiennent ses feuilles le contre-indique dans les affections rénales et urinaires.

LA LAITUE

« Quelque variété d'herbe il y ait, tout s'enve-loppe sous le nom de salade », notait déjà Mon-taigne, étonné de cet abus sémantique qui confond sous le même nom la matière première et le produit fini.

Ainsi nommé, l'usage de la salade remonte à l'Antiquité. Pline parlait déjà de ces « légumes qui n'exigent pas de feu et économisent le bois [...], nourriture toujours prête et disponible ». On man-geait alors la salade relevée d'une sauce chaude et très salée, laquelle disparaît au xvᵉ siècle, rempla-cée par le traditionnel arrosage d'huile et de vinaigre. Jusqu'à la fin du Iᵉʳ siècle après Jésus-Christ, les Romains terminaient leurs repas par la salade. Mais, ensuite, l'ordre fut interverti et l'on consomma les salades en début de repas, avec les radis et crudités, pour exciter l'appétit. Louis XIV est resté dans les annales un très gros consommateur de salade, si l'on en croit Saint-Simon, et son jardinier. La Quintinie, en cultivait abondamment dans le potager de Versailles.

Toutes les espèces susceptibles d'être servies en salade portent ce nom, et, parmi elles toutes, la laitue est naturellement la reine des salades. Après moult hésitations et discussions, on penche aujourd'hui pour reconnaître dans *Lactuca scariola* l'ancêtre sauvage de nos laitues. Curieux ancêtre, en vérité, que cette laitue, encore nommée « plante-boussole », car ses feuilles sont toujours dirigées, tout le long de la tige, selon une direction nord-sud. Cette plante pousse dans toute l'Europe, à l'exclusion des pays septentrionaux.

Mais il y a laitue et laitue ! La plus ancienne est sans doute la laitue romaine, une laitue non pommée déjà cultivée dans l'Égypte ancienne. La laitue était servie à la table des empereurs de Perse six siècles avant Jésus-Christ. Deux siècles plus tard, elle fut introduite en Grèce par Alexandre le Grand et, de là, se répandit dans tout l'Empire romain. La papauté fait à la laitue romaine sa réputation ; celle-ci fut introduite en France par l'intermédiaire des papes d'Avignon. Mais, selon d'autres sources, elle aurait été introduite par Rabelais, par l'intermédiaire du « grand sac ciré pour les affaires du roi » — c'est-à-dire la valise diplomatique. La laitue pommée n'entre en France que plus tard, au XVIe siècle.

Louis XIV aimait les salades : on raconte que, un

jour, à Marly, il présidait une table où avaient pris place tous les fils de France et toutes les princesses de sang. L'atmosphère était libre et détendue. Louis XIV lançait des boulettes de pain aux dames. Et voici que l'une d'elles, atteinte un peu rudement, lança à l'auguste tête du monarque une salade tout assaisonnée. Le roi rit et l'incident fut clos.

La laitue cultivée entretient un cousinage incertain avec la laitue vireuse. Rien de commun, à première vue, entre cette laitue sauvage aux longues tiges dressées et aux feuilles dentées hérissées d'aiguillons et la laitue pommée cultivée dans un jardin. De plus, la laitue vireuse est amère au point que les Septante, traduisant la Bible hébraïque en grec, qualifièrent de laitue les « herbes amères » prescrites pour remémorer, avec l'Agneau pascal, les amertumes de l'Exode.

Toutes les laitues sont récoltées avant qu'elles ne « montent », c'est-à-dire avant qu'elles ne forment leur hampe florale terminée par des capitules jaunes ou, pour l'une des espèces sauvages, bleues. Même variété de couleurs pour la laitue elle-même, depuis « le rouge vif de la merveille des quatre saisons, le brun carmélite de la frisée d'Amérique, le vert sombre de la romaine craqueuse, jusqu'à l'or éclatant de la pomme d'or, au vert cendré de la lilloise et au blond or d'épis de la petite laitue crêpe ».

On ne s'étonnera pas d'apprendre que le constituant principal des feuilles de laitue est l'eau ; il en résulte que leur valeur alimentaire est plus que modeste. Mais la salade apporte des hydrates de carbone, notamment de la cellulose qui permet une bonne tenue et une avantageuse progression du bol alimentaire intestinal. Enfin, la laitue s'honore d'avoir guéri, dit-on, l'empereur Auguste d'une grave maladie de foie et d'avoir donné sur le tard à Dioclétien, grand pourfendeur de chrétiens, l'agrément de la déguster quotidiennement à ses repas. On dit que, durant sa retraite anticipée, il cultivait les laitues en son jardin de Salone où il plantait ses choux et ses salades.

Les laitues doivent leur nom au fait qu'un suc lactescent est sécrété par toute la plante ; la sélection naturelle a limité cette sécrétion dans les variétés cultivées pour la bouche, mais bon nombre de laitues, et particulièrement la laitue vireuse — qui doit avoir sa place dans l'arbre généalogique des laitues —, émettent un suc laiteux amer, contenu dans toutes les parties de la plante et s'écoulant à la moindre blessure. Ce suc blanc laiteux coagule rapidement ; séché au soleil, il devient un médicament, le *lactucarium*, à odeur forte et vireuse et de saveur amère. Ce suc desséché, fort utilisé par les anciens Grecs et Romains, était considéré comme un succédané de l'opium. Il délivra, dit-on, Galien des insomnies de la vieillesse. Oublié pendant de nombreux siècles, il effectue une percée en thérapeutique à la fin du XVIIIᵉ siècle et surtout au XIXᵉ siècle. On l'a utilisé en médecine infantile comme médicament de la toux, de la coqueluche et des bronchites notamment ; mais sa teneur en substances actives est très variable, de sorte que ses effets sont irréguliers, ce qui a nui à cette drogue aujourd'hui tombée en désuétude.

Les vertus thérapeutiques de la laitue avaient déjà été signalées par les pythagoriciens qui l'appelaient la « plante des eunuques », par allusion à l'action sédative qu'elle exerce aussi sur l'appareil génital. Au Moyen Âge, on voyait dans les graines de laitue vireuse une drogue très sûre destinée à éviter au corps de « choir en pollution ». C'est à cause de ses effets anaphrodisiaques que le poète Callimaque représenta Adonis enseveli par Vénus sous un lit de laitues. La laitue est, en effet, très présente dans la mythologie : Faon, un batelier de Mytilène, eut un jour à transporter Vénus entre l'île de Lesbos et la côte ; il refusa tout paiement. La déesse le changea alors en un magnifique jeune homme. Séduite par sa beauté, la poétesse Sapho en tomba éperdument amoureuse, mais Faon la dédaigna. Pour se venger, Sapho le précipita dans la mer du haut du rocher de Leucade, et Vénus le transforma en laitue... On ne saura jamais si c'était pour le punir de sa sottise ou le récompenser de sa vertu.

La laitue compte parmi les tout premiers légumes à avoir subi le forçage, qui consiste à placer la plante dans des conditions telles qu'elle produise à contre-saison. Pour ce faire, on dispose de milieux aménagés qui permettent de jouer sur la ventilation, l'humidité, la chaleur, la lumière. Les laitues sont traditionnellement forcées en couche et, par conséquent, produites plus tôt qu'elles ne le seraient en pleine terre Mais la rapidité des approvision-

nements, grâce au développement des transports à
distance, a entraîné une régression de ces pratiques.

La laitue, par ses sécrétions de suc laiteux,
évoque les nourrices dont elle est d'ailleurs censée
augmenter la production de lait, toujours selon la
fameuse « théorie des signatures » qui veut que la
plante porte un signe indiquant son effet thérapeutique. Le signe, ici, c'est le lait. Le dicton qui
prétend que les enfants naissent dans les choux
eût été plus convaincant s'il les avait fait naître
dans une laitue pommée, à la source même du lait
maternel nécessaire à leur croissance ! Mais il arrive
que les dictons trahissent les réalités, ou ne les
prennent en compte que partiellement.

LA MÂCHE

Voilà bien le plus insignifiant de nos légumes,
heureusement appelé néanmoins à égayer nos tables
au cours des derniers mois d'hiver. Originaire,
selon de Candolle, de la Sardaigne et de la Sicile,
elle croît aujourd'hui à l'état spontané dans toute
l'Europe. Elle abonde à l'état sauvage dans les
champs de céréales longtemps après la moisson,
ainsi que dans les prairies. Ignorée de l'Antiquité
et du Moyen Âge, elle n'apparaît qu'à la Renaissance, d'abord à l'état sauvage puis, à partir du
XVIIe siècle, en culture. Son histoire ressemble
quelque peu à celle du pissenlit et de l'endive,

tardivement venus comme elle puisque cultivés seulement à compter du XIXᵉ siècle.

La mâche appartient à la famille de la valériane et au genre *Valerianella*. Malgré ce diminutif suggestif, elle ne possède pas les propriétés séda-tives de la valériane, et pas davantage l'odeur *sui generis* de ses racines. Comme toute valérianacée qui se respecte, elle a perdu au cours de l'évolution deux étamines, ce qui fait qu'il lui en reste trois sur les cinq réglementaires.

Malgré la modestie de cette salade, il en existe une belle collection de variétés cultivées, de la mâche verte d'Étampes à la mâche verte de Rouen, de la mâche ronde à la mâche dorée, de la mâche à grosse graine à la mâche coquille, dont les feuilles sont creusées en forme de coquillage. Sans oublier la cousine italienne, ou mâche d'Italie, qui appar-tient à une espèce botanique proche.

Le langage populaire a trouvé une kyrielle de diminutifs pour qualifier cette modeste herbe : doucette, boursette, blanchette, etc. Cette salade, qui ne fut longtemps consommée que par les paysans, a cependant une valeur nutritive très supérieure à celle de la laitue, surtout à cause de sa teneur en provitamine A et en vitamines B et C. Aisément cultivée en pleine terre, elle passe l'hiver sans problème. Associée à la betterave et au céleri, sa saveur un peu mucilagineuse et fade s'en trouve relevée d'autant. C'est à ce mélange, qui réunit les trois couleurs du drapeau italien — le vert, le rouge et le blanc —, qu'un restaurateur parisien célèbre avait donné le nom de « salade à la Victor-Emmanuel ».

L'OSEILLE

L'oseille occupe une place discrète dans le monde des légumes — une discrétion qui cadre mal, cependant, avec le goût acidulé si tranché de ses feuilles. De ce point de vue, l'oseille est un mets relevé.

Très proche de l'oseille sauvage qui pousse dans tous les terrains vagues, l'oseille des jardins était connue des Anciens, même si elle joua toujours un rôle effacé dans l'alimentation.

L'oseille est tout à fait reconnaissable à ses feuilles en forme de fer de lance, dites sagittées ou hastées. La coloration rougeâtre des pétioles est due à la présence d'anthocyanes. Ainsi que l'épinard, l'oseille est une espèce dioïque : il y a des pieds mâles et des pieds femelles. Comme toutes les plantes peu modifiées par l'homme, elle présente une bonne résistance aux maladies — car elle est sans doute, de tous les légumes, celui qui a été le moins modifié et qui conserve le plus de caractères de la plante sauvage dont elle provient — et aux parasites.

L'oseille doit sa saveur acidulée à la présence d'oxalate de potassium. Mais si c'est à l'oxalate qu'elle doit cette saveur, c'est à l'oxalate aussi qu'elle doit sa nocivité pour les arthritiques, les goutteux, les lithiasiques, chez qui elle est contre-indiquée. La propension de certains sujets à faire des calculs est, en effet, « largement encouragée » par les oxalates de potassium qui favorisent la formation de calculs. Mais peut-être a-t-on quelque peu exagéré cette nocivité, car l'oseille est en réalité un aliment banal et peu dangereux. Quel enfant n'a pas brouté des feuilles d'oseille de son jardin avec délectation ?

LE PERSIL

Le persil est originaire de Méditerranée orientale. Il était connu des Grecs qui le vénéraient comme une plante sacrée et s'en couronnaient lors des grandes festivités ; mais ils ne l'employaient point en cuisine. Les Romains, qui vouaient également au persil une grande vénération, utilisaient ses propriétés culinaires. On le retrouve, par ailleurs, dans le capitulaire *De Villis* de Charlemagne.

Le persil est une herbe bisannuelle dont les feuilles très découpées dégagent l'odeur caractéristique que l'on connaît. Ses fleurs vert jaunâtre sont groupées en ombelles composées donnant à maturité de petits fruits globuleux. La plante est réputée depuis toujours comme diurétique et emménagogue ; cette dernière propriété est due à l'apiol, un excitant des fibres lisses et notamment de l'utérus, d'où ses indications thérapeutiques. La racine de persil est fortement diurétique et entre, à ce titre, dans le « sirop des cinq racines ». La feuille est riche en vitamine A.

Le persil peut être confondu avec la petite ciguë, mauvaise herbe très fréquente dans les jardins. Mais cette confusion ne saurait se produire avec la variété « frisée », un persil aux feuilles très découpées et crépues, déjà connu dans l'Antiquité. Quant à la petite ciguë, elle est, et de loin, la moins toxique des ciguës. On la reconnaît aisément à l'involucre qui borde les ombelles, qui est formé ici d'une seule pièce divisée en trois lobes tout à fait caractéristiques.

LE PISSENLIT

Le pissenlit est l'une de nos herbes les plus communes, car, non content de régner en maître sur les prairies, les chaumes, les friches, les talus, il va jusqu'à s'insinuer entre les pavés des places de nos villes. Ses feuilles découpées en lobes aigus lui ont valu le nom spécifique de « dent de lion ». C'est à ses merveilleux capitules de fleurs jaune d'or, juchés au sommet d'un pédoncule creux et souple, qu'il doit le nom de « fleurion d'or ». Après la formation par chaque fleur d'un petit fruit sec, surmonté d'une fine aigrette en forme de parachute, la belle collection de ces aigrettes au sommet de la hampe lui vaut le nom de « chandelle ». Depuis que Pierre Larousse en fit l'emblème de son œuvre, l'essaimage des aigrettes au moindre souffle de bise ou de vent reste une image familière qui orne les livres où s'écrit l'histoire de la langue française. Quand toutes les aigrettes ont disparu, il ne reste plus que le réceptable bombé, nu, et c'est alors que le pissenlit s'appelle « tête de moine ». Le nom de « pissenlit », regroupant tous les autres, évoque les incontestables propriétés diurétiques de la plante. Reste le latin *Taraxacum* : cette racine proviendrait du grec et évoquerait l'action salutaire du pissenlit dans les maladies des yeux, fort contestable au demeurant.

En raison de son amertume, le pissenlit fut d'abord une plante médicinale, et ensuite seulement une salade. Parmi bon nombre d'indications thérapeutiques, hétéroclites et discutables, on relèvera cependant une indication constante du pissenlit dans les maladies du foie et des reins ; amer comme la bile, il est, de fait, un excellent draineur et un bon diurétique.

La culture du pissenlit en tant que légume remonte à la Renaissance et se pratique surtout en France ; mais l'on récolte toujours le pissenlit sauvage. La plante possède une puissante racine pivotante pouvant atteindre 30 cm de profondeur ; elle est inscrite à la pharmacopée. Riche en inuline, proche de celle de la chicorée — on l'a d'ailleurs utilisée comme succédané de celle-ci —, elle entre dans de nombreuses compositions de tisanes dépuratives. Quant aux feuilles, elles contiennent des vitamines B et C ainsi qu'un principe amer identique à celui de la chicorée.

Laitue, chicorée, pissenlit, toutes ces salades appartenant à la famille des astéracées (ex-composées) sont chimiquement apparentées. Ces plantes se caractérisent par leur amertume, par la haute teneur en inuline de leurs racines et par leurs effets favorables sur les sphères hépatobiliaire et hépatorénale : d'où des propriétés diurétiques, cholagogues, cholérétiques.

CHAPITRE VII

Les légumes fleurs[1]

L'ARTICHAUT

Il était une fois un gros chardon sauvage poussant au bord de la Méditerranée. Ses petites fleurs d'un beau bleu violacé, très allongées, se serrent densément les unes contre les autres et s'insèrent toutes ensemble sur une sorte de disque en forme de plat à tarte. Tout autour de ce magnifique dispositif floral, des écailles protectrices, munies chacune d'une dent acérée, forment une sorte de calice vert bleuté très piquant. Avant la floraison, ces écailles, encore nommées bractées, enferment complètement le tapis floral, formant un gros bouton pansu et agressif par ses épines. Les feuilles également sont munies d'épines et la Lorraine n'aurait pas désavoué ce chardon méditerranéen pour en faire son emblème.

Mais notre chardon a été cultivé et amélioré de

1. Le chou-fleur est évoqué dans la monographie générale du chou.

génération en génération : il a perdu l'épine agressive qui prolongeait chaque bractée, le bouton
floral a grossi et le plat à tarte, où se trouve insérée
la kyrielle de petites fleurs bleutées, s'est épaissi,
devenant le célèbre « fond d'artichaut » ou « cul
d'artichaut ». Comment ces modifications se sont-
elles produites ? Simplement comme le fruit du
travail de générations de jardiniers qui, de tout
temps, ont tenté d'éliminer les plantes les plus
petites et les plus piquantes, en cherchant à conserver et à reproduire celles qui avaient le moins
d'épines et les plus grosses fleurs. Une évolution
identique à celle qui, à partir de l'églantine, a
produit les roses... lesquelles s'obstinent néanmoins
à conserver leurs épines.

Mais l'évolution, ici, a sélectionné de surcroît
des plantes au pétiole foliaire très développé : les
cardons. Les pétioles et les nervures des feuilles
s'y sont épaissis, prenant une consistance charnue ;
tout suggère que la mise au point de la forme
« cardon » a précédé celle de la forme « artichaut ».

L'Antiquité connaissait déjà les cardons, qui étaient
un légume très prisé à Rome. On les cultivait en
Tunisie aux environs de l'ancienne Carthage, et
surtout à Cordoue. Pline rapporte, non sans une
certaine pudeur, que la moindre planche de cette
plante de luxe produisait à Cordoue un revenu
annuel de 6 000 sesterces.

L'origine de l'artichaut est plus discutée que
celle du cardon. Pour certains, il aurait été, lui
aussi, déjà connu des Grecs et des Romains, légume
de luxe réservé aux classes les plus aisées ; mais

on ne possède aucune trace permettant de l'identifier par opposition au cardon. De fait, l'artichaut
n'est mentionné avec certitude qu'à partir du XVᵉ
siècle, en provenance d'Italie. Un certain Filippo
Strozzi en aurait introduit à Florence, en 1466,
quelques pieds venant de Naples. En moins de
cent ans, il se répand dans toute l'Europe et ne
tarde pas à rallier, comme son frère le cardon, les
suffrages des gourmets. Ronsard vante ses mérites
en ces termes :

> « *L'artichaut et la salade,*
> *L'asperge et la pastenade,*
> *Et les pompons tourangeaux,*
> *Me sont herbes plus friandes*
> *Que les royales viandes*
> *Qui se servent à Monceau...* »

On rapporte que les fonds d'artichaut faisaient
les délices de Marie de Médicis qui en mangeait
plus qu'à devoir. Elle avait favorisé leur implanta-
tion en France, ainsi que celle des brocolis. Bientôt,
les pisse-vinaigre et autres trouble-fête trouvèrent
à gloser sur les vertus échauffantes que l'artichaut
produirait chez les « personnes du sexe ». Du coup,
il ne pouvait qu'être suspect aux gens vertueux et
il y eut donc vertu à passer devant les artichauts
avec mépris et sans autre considération. Et voici
que l'artichaut fait, au propre comme au figuré,
une carrière de plante aphrodisiaque ! Au temps
du bon roi Henri IV, les marchands de quatre-
saisons criaient dans les rues : « L'artichaut, le bel

artichaut, pour Monsieur et Madame, pour réchauffer le cul et l'âme !... » Puis l'artichaut poursuit sa course et son destin en franchissant, au début de ce siècle, l'océan Atlantique pour s'implanter — très tardivement, on le voit — aux États-Unis et en Argentine.

Mais, entre-temps, on avait trouvé à l'artichaut maintes propriétés médicinales. Si ses qualités supposées aphrodisiaques n'ont jamais été démontrées, on sait, en revanche, qu'il favorise la diurèse et donne d'excellents résultats dans le traitement de l'ictère chronique. Cette dernière propriété a valu à l'artichaut de faire une brillante carrière pharmaceutique ; mais, cette fois, la partie utilisée était la feuille, et non plus les bractées ou le « cul ».

Comme pour tant de plantes médicinales majeures, l'utilisation thérapeutique de l'artichaut se fonda d'abord sur la « théorie des signatures ». Connu de Galien qui ne le distinguait pas du cardon, mais plus ou moins négligé durant le Moyen Âge, l'artichaut médicament revint en honneur au XVIIIᵉ siècle, lorsque Chaumel le recommanda dans le traitement de l'ictère et de l'hydropisie : les deux actions hépatique et rénale de la plante étaient donc déjà distinguées à cette époque, puisqu'on la considérait comme capable de favoriser et la sécrétion de la bile par le foie, et la sécrétion de l'urine par les reins. Et cela d'autant plus que la forte amertume de la drogue conduisait tout naturellement les partisans des signatures à y voir une analogie avec la bile, donc avec le foie. De fait, la feuille d'artichaut fraîche est très amère, et si cette amertume n'apparaît plus dans le légume cuit, c'est en raison de la longue ébullition qu'il subit, au cours de laquelle les substances amères passent dans l'eau de cuisson — ce qu'on appelle couramment, en termes culinaires, le blanchiment.

L'amertume de l'artichaut est due à la présence d'une substance dont la structure ne fut élucidée qu'en 1960 : la cynaropicrine. Afin de vérifier le bien-fondé de la signature de l'artichaut, il était évidemment tentant de tester les propriétés pharmacologiques de cette substance, jaune et amère comme la bile, ce que nous fîmes. Le résultat fut un échec : la cynaropicrine ne révéla aucune propriété susceptible de modifier favorablement le fonctionnement hépatique des animaux de laboratoire. Il y avait donc tout lieu de penser que la cynarine, autre substance isolée de l'artichaut, en était le seul principe actif.

Mais ces recherches engagées sur l'artichaut avec nos collègues Jouany, Delaveau, Bogaert et Mortier, devaient bientôt rebondir sur une piste nouvelle, jusque-là inexplorée, qui mérite digression.

Il était, en effet, apparu qu'un des médicaments à base d'artichaut les plus utilisés en thérapeutique, et dont l'efficacité ne pouvait être mise en doute, était, de par son mode de préparation, dépourvu de cynarine, pourtant considérée comme l'un des principes actifs essentiels de la drogue. Or, les essais cliniques démontraient une incontestable activité de ce médicament sur la sphère hépatorénale, par augmentation de la sécrétion biliaire et urinaire. Ce qui laissait supposer la présence de substances actives encore inconnues.

En examinant, avec l'œil du phytochimiste, le mode de préparation mis en œuvre dans l'industrie pour préparer ces extraits d'artichaut, il apparut que les feuilles étaient attaquées de manière extrêmement brutale par des alcalis, ce qui paraissait de prime abord une atteinte inadmissible à leur « intégrité biologique ». Un tel mode de traitement relève davantage, en effet, des techniques de la toxicologie classique, où il convient souvent de détruire la matière organique pour isoler un toxique minéral, par exemple, que de la pharmacognosie où l'on doit prendre soin, au contraire, de respecter les principes initiaux de la matière vivante. Les analyses conduites sur les extraits ainsi « violentés » montrèrent que la molécule de cynaropicrine était complètement détruite par ce traitement brutal et que l'on ne retrouvait, si l'on peut dire, que des « morceaux » de son édifice moléculaire, entre autres un acide au nom savant : l'acide hydroxyméthylacrylique (HMA). Or, ce « morceau » de cynaropicrine se révéla exercer de multiples actions sur le foie.

En reprenant alors l'analyse de la drogue initiale avec des méthodes plus douces, il apparut que cet acide, élément constitutif de la cynaropicrine, était aussi présent à l'état libre dans la plante, où il intervenait comme un principe actif. Cette découverte d'un nouveau principe actif dans l'artichaut ne devait pas s'arrêter là. Elle permit d'abord d'expliquer pour quelles raisons, dans les pharmacopées traditionnelles, la bardane et l'eupatoire sont souvent utilisées comme médicaments du foie : en travaillant sur des extraits de ces deux plantes, nous avons pu mettre en évidence un net effet thérapeutique qu'il devenait facile de relier à la présence, chez elles, d'homologues très proches de la cynaropicrine et du HMA. Il s'agit d'ailleurs, dans les deux cas, d'espèces de la famille des astéracées (ex-composées), famille à laquelle appartient précisément l'artichaut : c'est là une spectaculaire illustration des apports de la taxinomie chimique à la pharmacognosie. Partant du savoir empirique qui faisait de la bardane et de l'eupatoire des drogues de même tropisme thérapeutique que l'artichaut, et constatant par ailleurs qu'elles appartenaient à la même famille botanique, les astéracées, il était légitime d'y rechercher des principes actifs voisins ou identiques, responsables de ces effets. Ce qui fut fait et aboutit à un résultat positif.

Bien plus, pour revenir à l'artichaut, l'analyse de l'extrait industriel obtenu par une méthode d'extraction jugée initialement trop brutale nous permit d'isoler toute une série d'acides-alcools à bas poids moléculaire de nature banale, mais que les méthodes traditionnelles d'extraction ne permettent pas d'isoler. Chacun de ces acides fut testé sur l'animal d'expérience par les méthodes habituelles, mais aucun ne révéla de propriétés particulières. En revanche, utilisés en mélange, ils agissaient immédiatement sur les fonctions hépatique et rénale, et d'autant plus efficacement qu'ils se trouvaient associés à l'HMA. Nous pûmes ainsi composer artificiellement un mélange comprenant les acides succinique, citrique, malique et HMA en parties égales, mélange artificiel reproduisant très exactement, sur les tests que nous avions choisis, les grandes activités hépato rénales reconnues à l'artichaut, à l'exclusion toutefois des effets sur la sécrétion biliaire dus essentiellement aux polyphénols du type de la cynarine. Ce mélange diminue notablement la sensibilité du foie à la toxicité de l'alcool, augmente fortement la diurèse ainsi que l'élimination des toxiques tels que les narcotiques, bref, modifie sensiblement, et dans un sens favorable, le métabolisme de la cellule hépatique et le fonctionnement du système rénal.

Il apparut enfin que la structure de l'HMA, nouvellement découvert dans l'artichaut, se rapprochait étroitement de celle de deux substances chimiques déjà connues et antérieurement utilisées pour leurs propriétés hépatique et diurétique : phénomène tout à fait inhabituel car, si les molécules de synthèse miment souvent les molécules naturelles dont elles s'inspirent, il est étrange de trouver *a posteriori* dans la nature des molécules ressemblant à des médicaments synthétiques obtenus sans aucune référence à un modèle naturel !

L'exemple de l'artichaut est particulièrement suggestif en ce qu'il éclaire la notion, très familière en thérapeutique végétale, de synergie. Les propriétés d'un extrait végétal contenant de nombreux principes sont souvent fort différentes des propriétés particulières de chacun de ces principes pris isolément ; et cela est encore plus vrai lorsqu'il s'agit de drogues qui n'agissent pas par un principe nettement dominant, comme le font par exemple la digitale, la belladone et, d'une manière plus générale, la plupart des grandes drogues héroïques. Dans le cas de l'artichaut, au contraire, toute une série de substances interviennent, dont certaines n'agissent qu'en association et sont, à l'état pur, totalement dépourvues d'activité ; ainsi des acides succinique, citrique et malique, composés banals présents dans toute matière vivante, mais qui, associés entre eux, laissent apparaître les propriétés attendues, avec une intensité encore accrue lorsqu'on ajoute en outre à ce mélange de l'acide hydroxyméthylacrylique et d'autres composants de l'artichaut. Ils interviennent donc comme des substances susceptibles de renforcer, de potentialiser, de *synergiser* les propriétés globales de la drogue naturelle.

Voilà pour le versant médicamenteux de l'artichaut, la seule plante, avec l'ail, à avoir poursuivi simultanément une carrière aussi brillante comme légume et comme remède.

CHAPITRE VIII

Les légumes fruits

L'AUBERGINE

Mala insana : pomme malsaine, ou encore « pomme des fous ». Tels sont deux des qualificatifs peu aimables dont on affubla la malheureuse aubergine au xve siècle lorsqu'elle se répandit en Europe, via l'Italie. Comme la tomate, l'aubergine payait chèrement une mauvaise réputation due à son appartenance à la redoutable famille des solanacées, dont on tenait tous les représentants pour suspects. Et Leonardo Fuchsius, « père scientifique » de la belladone qu'il décrivit pour la première fois de manière précise et concise, d'ajouter à propos de l'aubergine : « Son nom seul doit effrayer ceux qui ont le souci de leur santé. » D'autant plus que ses fruits avaient la traîtreuse couleur violacée des fruits de la belladone, et étaient donc tenus en grande défiance.

La carrière de ce légume, loin de sa patrie d'origine, fut tout entière marquée par cette longue suspicion. Avicenne, le grand médecin arabe de l'an mille, la tenait pour responsable des plus graves maladies, de la lèpre au cancer, et sainte Hildegarde de Bingen conseillait de limiter son emploi aux seuls usages thérapeutiques. Pour elle, l'aubergine est le remède des épileptiques ; il suffit de leur mettre sous la langue un morceau de cette plante pour les voir se relever aussitôt... Mais, en ce début de la Renaissance, l'aubergine avait déjà une belle carrière derrière elle : inconnue des anciens Grecs et Latins, elle est en fait originaire de l'Inde où on la cultivait comme plante alimentaire bien avant l'ère chrétienne.

Les difficultés que l'aubergine rencontra pour devenir légume n'ont d'égales que sa parfaite innocuité, pour ne pas dire son insignifiance. Avec plus de 90 % d'eau, elle est, comme la tomate, un légume de consommation agréable mais faiblement nutritif. Il faut attendre le début du XIXᵉ siècle pour que ce légume fasse enfin son entrée dans l'alimentation. À cette époque, les gourmets commencèrent à se rendre chez les *Frères provençaux*, célèbre restaurant près du Palais-Royal, pour manger des aubergines sur le gril et des côtelettes à la provençale. Comme pour la tomate toujours, le Midi eut une longueur d'avance dans la culture des aubergines, puisque celles-ci ne furent introduites sur les marchés de la capitale qu'en 1825, par le maraîcher parisien Decouflé.

La sélection n'a cessé de faire gonfler les aubergines qui, initialement de la grosseur d'un petit œuf, peuvent atteindre jusqu'à 4 kg dans la variété baptisée « monstrueuse de New York ».

L'aubergine poursuit une carrière relativement modeste en Europe, mais très brillante en Chine, au Japon, en Inde, en Iran et en Turquie. Bref, cette solanacée migra d'est en ouest, à l'inverse de ses sœurs et cousines qui, comme la pomme de terre, le piment et la tomate, venaient d'Amérique centrale et méridionale et voyagèrent d'ouest en est. Elle traversa l'Atlantique avec les colons espagnols qui l'introduisirent en Amérique.

De faible valeur alimentaire, l'aubergine nourrit par la graisse dans laquelle elle est frite ou la farce dont elle est remplie. En revanche, si ses propriétés médicinales furent mal perçues par les auteurs médiévaux, elle possède de fait des propriétés diurétiques, cholagogues et même anticholestérol qui ne sont pas sans rappeler celles de la feuille d'artichaut, plante pourtant fort éloignée dans la classification botanique.

On signalera à titre anecdotique une variété d'aubergine dont les fruits, par leur taille, leur forme et leur couleur, simulent à s'y méprendre un œuf de poule, d'où les noms de « plante aux œufs », « pondeuse », « œuf végétal » donnés à cette variété. Mais ces « œufs » sont âcres et amers, en fait incomestibles, et l'« aubergine blanche » qui les porte reste une curiosité botanique.

LE CONCOMBRE

« Ah ! les concombres, les melons, les poireaux, les oignons et l'ail d'autrefois ! À présent, nous n'avons plus de force et rien à avaler, rien que de la manne[1]. » C'est en ces termes, on l'a vu, que les Hébreux égarés dans le désert du Sinaï murmurent contre Moïse qui les a conduits hors d'Égypte. À peine établis en Palestine, ils se mirent à cultiver des concombres dont la chair aqueuse et fraîche était désaltérante. Les champs étaient pourvus de huttes de branchages où s'abritaient les cultivateurs venus surveiller leur récolte pour la soustraire au vol, aux déprédations des chacals, des oiseaux et autres amateurs de concombres. Puis, la cueillette faite, ces frêles abris se disloquaient et tombaient en ruine, d'où cette comparaison du prophète Isaïe : « Comme la hutte dans la vigne, comme un abri dans un champ de concombres, Jérusalem assiégée demeure sans défense[2]. » Mais on place également dans les champs de concombres des épouvantails qui inspirent à Baruch cette autre comparaison : parlant des idoles, dit-il, « ils sont aussi inutiles qu'un épouvantail dans un champ de concombres qu'ils ne protègent de rien, ces dieux de bois plaqués d'or et d'argent[3] ». Telles sont les trois citations du concombre dans la Bible où il apparaît que ce légume faisait l'objet d'une surveillance très attentive.

Bien que l'exode des Hébreux à travers le Sinaï remonte à plus d'un millénaire avant Jésus-Christ, la culture des concombres et des cornichons était

1. *Nombres,* 11/5.
2. *Isaïe,* 1/8.
3. *Baruch,* 6/69.

déjà pratiquée de longue date en Inde, patrie d'origine de ce légume, ainsi qu'en Chine où l'on trouve des traces de sa culture environ 5000 ans avant Jésus-Christ. C'est dire sa vénérable ancienneté.

Un légume qui présente de curieuses particularités botaniques, et d'abord le caractère toujours « unisexe » de ses fleurs. Le concombre porte, en effet, des fleurs mâles et des fleurs femelles, jamais de fleurs hermaphrodites. La fécondation croisée est donc la règle pour cette espèce à sexes séparés, où il y a une « plante Monsieur » et une « plante Madame », le pollen devant nécessairement transiter, par insecte interposé, d'un individu à l'autre. Les fleurs mâles présentent en outre la singularité de regrouper les étamines en trois entités, dont l'une n'est formée que d'une étamine, et les deux autres de deux étamines soudées. En fait, l'évolution dans la famille des cucurbitacées « joue » avec les étamines, imaginant les constructions les plus étranges et les plus sophistiquées, inventant des architectures compliquées et délicates allant jusqu'à souder toutes les étamines par leur filet, les anthères étant juchées au sommet d'une sorte de mât, fondues ou enroulées sur elles-mêmes, invaginées, étalées ou dressées selon les espèces. La collection des étamines de cucurbitacées vaut bien une collection de pin's !

Plus étrange encore est le fait que ces étamines ne servent bien souvent à rien. En effet, les cucurbitacées, après avoir compliqué leur appareil sexuel mâle comme à plaisir, finissent par s'en passer : bon nombre d'espèces de cette famille produisent leur fruit par parthénogenèse, donc sans fécondation et sans pollen.

Mais revenons au concombre... Grecs et Latins en raffolèrent. À Rome, l'empereur Auguste avait coutume, selon Suétone, de sucer un concombre pour se désaltérer. Quant à l'empereur Tibère, selon Pline, il les aimait au point d'en manger chaque jour. On les cultivait en caisses orientées dans le sens du soleil pour satisfaire toute l'année durant la gourmandise impériale. Favori des têtes couronnées, le concombre avait la plus excellente des réputations et on le tenait pour capable de rendre intelligent son consommateur — ce qui, de nos jours, est fermement contesté, le terme « cornichon » évoquant plutôt la stupidité... Peut-être ce péjoratif provient-il du fait que le cornichon est un fruit qui n'a point atteint son développement normal : c'est un jeune concombre en quelque sorte, que l'on peut considérer comme un avorton, tout juste destiné au pot ou au bocal. Il est néanmoins étonnant de constater que les noms de plusieurs cucurbitacées ont été employés en différentes langues anciennes et modernes pour désigner des individus prétentieux ou stupides.

Concombres et cornichons appartiennent à la même espèce : *Cucumis sativus*. Les cornichons sont les enfants nains des concombres. Ils proviennent de plants non taillés, dont les fruits sont récoltés lorsqu'ils ont la longueur d'un doigt. Les concombres, en revanche, sont nettement plus gros et poussent sur des plants étêtés dont on ne laisse se développer qu'un nombre restreint de fruits. Certaines variétés manifestent une amertume localisée dans les assises externes du fruit et due à la présence de cucurbitacine C ; porteuses de cette tare chimique, elles doivent être rejetées de l'alimentation.

Selon Leclerc, « les médecins grecs lui attribuaient entre autres vertus celle de réfréner les ardeurs de la chair : aussi disait-on proverbialement que c'était un aliment indispensable aux tisseuses de toile, femmes d'un tempérament que Aristote qualifiait d'excessif ». Plus tard, les auteurs du Moyen Âge rendirent également hommage à ses effets calmants. Mizauld lui reconnaît une action fébrifuge : « Si un enfant de lait a la fièvre, il faut coucher tout au long de lui un concombre de longueur pareille à lui, de manière qu'il s'endorme auprès ; il sera guéri, car la chaleur de la fièvre passera dans le concombre. » On n'en finirait pas d'énumérer les propriétés thérapeutiques plus ou moins fantaisistes attachées au concombre par des médecins du temps qui s'accordaient à condamner ses utilisations culinaires. C'est que le concombre produit longtemps après sa consommation des éructations du plus mauvais effet...

Avec près de 98 % d'eau, le concombre est l'un des légumes les plus aqueux qui soient et les moins chargés de substances nutritives. De fait, on y trouve plus à boire qu'à manger. Comme, de surcroît, il a tendance à s'éterniser dans l'estomac, les hygiénistes sont unanimes à le foudroyer de leurs anathèmes, ce qui ne les empêche pas de succomber comme les autres à l'irrésistible séduction qu'exerce ce délicieux régal qu'est une salade de concombre.

À la cuisson, il faut tous les artifices de l'art culinaire pour tenter de donner un peu d'âme à sa chair molle et insipide ; but que l'on atteint en le vidant et en le bourrant d'une farce composée, par exemple, de riz, d'olives, de champignons et aiguisée d'une pointe d'ail ou d'échalote.

Mais les concombres trouvent à exercer leur talent dans le domaine de la cosmétologie. Mme Saint-James avait pour ambition de ne recevoir chez elle que des gens de haute naissance. L'on y vit un jour un homme de moindre extraction, au visage particulièrement peu amène. Balzac s'enquit de lui et apprit qu'il avait, grâce à une préparation à base de concombre, radicalement guéri d'odieuses rougeurs qui lui couperosaient le teint et le faisaient ressembler à un paysan. Mais pas suffisamment pour acquérir un teint sympathique... C'est que, en effet, le concombre a de nombreuses vertus qui le font employer en dermatologie, où il entre dans de nombreuses compositions à caractère cosmétique.

COURGE, COURGETTE, CITROUILLE ET POTIRON

Bien que l'histoire de ces légumes comprenne de vastes zones d'ombre et de flou, il semble acquis que leur origine est américaine. Les cucurbites

appartiennent aussi à l'étrange famille des cucurbitacées, privilège qu'elles partagent avec les cucumis, tels le melon, le concombre et le cornichon.

Étrange famille, en vérité, que celle des cucurbitacées, dont l'appareil végétatif semble ne pas
vouloir se donner la peine de tenter de porter des
fruits monstrueux qui, ainsi, reposent sur le sol.
Tel est le cas du melon, du melon d'eau, de la
coloquinte, de la citrouille, du potiron et de la
plupart des courges. Non seulement les cucurbitacées ne se donnent pas la peine de se dresser sur
le sol, mais elles y rampent avec ravissement,
vivant leur cycle complet avec une extrême rapidité, ce qui permet de les cultiver en région
tempérée où elles le bouclent pendant la belle
saison. En effet, ces plantes originaires des climats
chauds ne supportent pas le gel.

La botanique du groupe des cucurbites est plus
que confuse. Peut-être est-ce en raison du grand
nombre d'espèces et de variétés cultivées aux
formes les plus fantaisistes et aux couleurs les plus
variées : sphériques et allongées comme le potiron,
sphériques et déprimées au pédoncule comme les
citrouilles, aplaties comme le pâtisson, lisses ou à
côtes, allongées comme de grosses saucisses, etc.
Mettons-y bon ordre !

Dans ce groupe figurent les potirons, les
citrouilles, les courges et les courgettes. Comment
les différencier ? En se reportant tout simplement
à la classification du genre *Cucurbita* proposée
par Duquesne et qui se présente dichotomique-
ment de la manière suivante :

  I. Plantes à feuilles molles et à calice très court (courges musquées) .. *Cucurbita moschata.*
 II. Plantes à feuilles rigides et à long calice campanulé :
   1) Fruits à pédoncule cylindrique (potirons) .... *Cucurbita maxima* ;
   2) Fruits à pédoncule anguleux (courges, citrouilles) .... *Cucurbita pepo.*

Peu de chose à dire des courges musquées, si ce n'est l'étrangeté du fruit de la variété « portemanteau » dont on cultive en Italie une sous-variété à fruits énormes, atteignant un mètre de long et pesant jusqu'à 20 kg.

C'est qu'avec les cucurbites nous sommes dans le domaine des records. Les *Cucurbita maxima* fournissent des potirons qui sont les plus gros fruits du règne végétal. Sans doute est-ce pour cela que la nature, dans le groupe des potirons couronnés, les coiffe d'un turban ou bonnet turc hémisphérique à quatre ou cinq côtes, très original. La calotte peut peser jusqu'à 4 kg ; elle est rarement de couleur uniforme, souvent panachée de vert, de jaune et de rouge.

Plus modestes sont les potirons sans turban, quoique chasseurs de records eux aussi. Ainsi le gros potiron jaune, l'un des plus cultivés, produit-il des fruits pouvant atteindre de 50 à 60 kg — on cite même un record de 100 kg — et un diamètre de plus d'un mètre.

Quant aux courges *pepo*, l'espèce est étonnamment polymorphe : elle est même sans doute l'une des espèces les plus polymorphes du règne végétal, record partagé avec le melon, lui aussi très variable. À ce groupe appartiennent les citrouilles, dont les fruits peuvent atteindre aussi 50 kg, et toutes sortes de courges dont la plus originale est le pâtisson. Son fruit aplati présente 10 cornes ou bosses et simule un bonnet qui l'identifie aussi sûrement que le turban identifie le potiron. La variabilité des citrouilles, si grande soit-elle, ne permet cependant pas d'affirmer péremptoirement qu'elle peut aller jusqu'à prendre l'allure d'une calèche, n'est-ce pas, Cendrillon ?

Toutes les cucurbites proviennent du continent américain où l'on trouve trace de courges au Pérou 1200 ans avant notre ère. Courges, courgettes, potirons et citrouilles sont très appréciés aux États-Unis et en Europe orientale et méridionale. Les fruits sont considérés comme ornementaux de par leur forme souvent originale ; les grosses fleurs orangées, qui peuvent atteindre 15 cm de diamètre, le sont également.

La valeur alimentaire de ces végétaux mons-trueux est très modeste. Ne contiennent-ils pas jusqu'à 95 % d'eau ? Mais, ici, la quantité supplée à la qualité. Les graines de ces fruits, également de grosses dimensions, sont vermifuges. La rapidité avec laquelle ils mettent de l'eau en réserve dans leurs fruits est un avantage incontestable pour les habitants des régions désertiques où ces gros fruits réussissent le tour de force d'extraire littéralement l'eau du désert. Mais le fruit n'est pas toujours comestible, comme on le voit avec les *Citrullus* qui, contrairement à ce que l'on pourrait croire, ne sont pas des citrouilles, mais des melons d'eau et des coloquintes. Le melon d'eau, originaire d'Afrique tropicale, totalise plus de 95 % d'eau dans son énorme fruit vert à chair rouge. La coloquinte, en revanche, contient un suc toxique qui contribua à l'assassinat de l'empereur Claude, tel que son épouse Agrippine, aidée de la sombre Locuste, l'avait imaginé. Claude devait être empoisonné par des amanites phalloïdes ; mais il eut la fâcheuse idée d'aller se faire vomir après avoir consommé un premier plat, selon la mode en vigueur chez les grands de la Rome antique pour tromper leur gourmandise. Comme il ne restait plus d'amanites pour parfaire le forfait, on eut recours, sous prétexte de soigner les premiers symptômes déclenchés par l'amanite, à des lavements au suc de coloquinte, qui réussirent à parachever par le bas l'œuvre qui n'avait pu être menée à bien par le haut : Claude mourut donc de coloquinte et d'amanite, et le sanguinaire Néron lui succéda.

On quittera la famille des cucurbitacées en mentionnant deux curiosités botaniques.

La première, pour n'être point un légume, peut être de quelque utilité dans leur préparation. Il s'agit de l'« éponge végétale », ou *Luffa* : la pulpe du fruit disparaît graduellement pendant son développement, et il ne subsiste qu'un réseau de fibres coriaces, élastiques. Il ne reste plus alors qu'à cueillir le squelette du fruit qui fera office d'excellent tampon Jex.

Et l'on terminera avec l'*Ecballium*, ou concombre d'âne, ou encore concombre d'attaque. Courant sur les talus en zone méditerranéenne, il éjecte ses graines, quand on le touche, comme de la mitraille et ce jusqu'à 10 mètres. Il est vrai que la vitesse initiale d'éjection est de 15 m/s : autre record homologué à l'actif des cucurbitacées !

LE MELON

Fruit ou légume, le melon ? Les deux, tout dépend de l'usage.

Le melon est originaire d'Afrique australe ; c'est l'unique légume originaire du sud du continent africain. On y trouve encore aujourd'hui des fruits guère plus gros qu'une pomme, poussant près des oasis ou autres points d'eau. L'étymologie du nom remonte d'ailleurs à la pomme : *mêlon*, en grec, et *malum* en latin. Étrange légume, en vérité, qu'on sert au début des repas, mais qui devient fruit lorsqu'on le sert en dessert.

Le melon a effectué un long périple depuis ses lointaines origines, les sélectionneurs ayant entrepris d'en grossir les fruits et d'en augmenter la saveur sucrée. Ce travail de sélection s'est pour l'essentiel produit en Asie où l'on trouve une multiplicité de formes de melon, notamment en Inde, en Iran et en Chine. Il gagne l'Égypte au Ve siècle avant notre ère, et c'est là que furent produits des fruits plus gros, plus sucrés, ou moins amers. Puis l'histoire du melon connaît une éclipse de plus d'un millénaire ; on sait simplement qu'il n'est pas passé de la Rome antique à la Gaule ; il ne fait son apparition chez nous qu'au xve siècle, lorsque le roi Charles VIII le rapporte de ses campagnes italiennes, en 1495. Il s'agissait d'un melon fraîchement entré en Italie par les soins de missionnaires arméniens et cultivé dans la propriété des papes à Canta Lupi, d'où son nom de « melon cantalou ». C'est ce melon, d'introduction récente, qui connut un vaste succès. Le melon fit d'ailleurs une entrée remarquée dans l'histoire pontificale puisque le pape Paul II mourut en 1471, à 54 ans, foudroyé par une indigestion due à une consommation intempestive de melons ; le pape Clément VIII connut le même sort fatal en 1605. Avant eux, Albert II, empereur d'Autriche, avait subi la même avanie qui l'emporta en 1358 ; et Henri IV lui-même en fit une terrible indigestion, mais en réchappa, tout comme Louis XIV, grand amateur de melons.

Ces accidents réitérés firent naturellement au melon une très fâcheuse réputation. On lui reprocha d'avoir tué au bas mot 4 empereurs et 2 papes. On croyait même que les melons se gâtaient lorsqu'ils étaient cultivés à côté des courges ; plus un melon poussait à côté d'une courge, plus il avait la réputation d'être mauvais — fait qui n'a pas été vérifié scientifiquement à ce jour.

Acclimaté dans le Comtat venaissin, on le trouve à Cavaillon en 1495. En 1864, la municipalité de cette ville se vit offrir par Alexandre Dumas la totalité de ses œuvres, soit 194 volumes, moyen-

nant un don modeste de 12 melons chaque année...
Cavaillon, patrie du melon, s'enorgueillit aussi de
posséder une confrérie des chevaliers du Melon.

Le catalogue des variétés de melons est ample et
ambitieux ; André de Vilmorin en cite déjà plusieurs variétés en 1778, et pas moins de 65 en
1883. À la frontière du fruit et du légume, le melon
a de fortes teneurs en eau, mais sa valeur alimentaire tient aux 6 % à 8 % de sucres contenus dans
sa pulpe. En région aride, le melon — et plus
encore le melon d'eau ou pastèque — est une
véritable « pompe végétale » susceptible de mettre
en réserve des quantités appréciables d'eau. Aussi
sa présence signifie-t-elle l'existence d'eau dans le
sol, faisant du melon et de toutes les cucurbitacées,
ses cousines, de précieux indicateurs écologiques.

Et comme ces fruits croissent souvent en zones
arides, la nature prend grand soin d'envelopper les
graines dans une tunique coriace, imperméable,
pour éviter un excès de déshydratation. D'où le
nom de baie cortiquée — baie à écorce — donné
au melon et autres péponides.

LE PIMENT

Il y a pigment et piment ; les deux mots ont la
même origine. Pigment signifie au sens propre
« matière colorante » ; mais le mot avait au Moyen
Âge le sens d'épice, d'aromate. Pierre le Vénérable
interdit les pigments aux religieux dans les statuts
qu'il élabora en 1132 pour l'ordre de Cluny ; il ne

s'agit pas à l'époque de piments au sens moderne du terme, mais d'une boisson préparée anciennement avec du miel, des épices et du vin, et passablement « pimentée ».

Les recherches archéologiques menées en Amérique centrale ont permis de préciser que le piment était consommé au Mexique 7 000 ans avant notre ère. Les premières cultures dateraient de 5 000 ans avant Jésus-Christ, faisant ainsi de ce végétal l'un des premiers cultivés par l'homme sur le continent américain.

Il est découvert par Christophe Colomb dès son premier voyage, et décrit comme un *poivre* consommé par les indigènes. Le mot *poivre* était alors employé, car la recherche de cette épice était l'un des objectifs majeurs de l'expédition. Pierre Marty signale que Colomb avait rapporté en Espagne un poivre très piquant. Or, cette épice si précocement découverte devait se révéler être la seule grande épice du Nouveau Monde.

Bien que la botanique des *Capsicum* soit des plus complexes, on s'accorde à penser que les piments appartiennent à deux espèces principales : le *Capsicum annum*, ou gros piment, et le *Capsicum frutescens*, ou petit piment. Dans les deux cas, le fruit est une baie verte rougissant à maturité, peu charnue et renfermant de nombreuses graines ; celle de *Capsicum frutescens* est plus petite et d'un beau rouge corail.

Le gros piment serait originaire du Brésil, et on le cultive dans de nombreux pays, comme l'indiquent d'ailleurs ses différents noms : poivre d'Inde, poivre du Portugal, poivre de Guinée, poivre d'Espagne, etc. Le petit piment, ou piment de Cayenne, qui appartient à l'espèce *Capsicum frutescens*, est encore nommé « piment enragé » en raison de sa saveur âcre et très brûlante ; il est, au sens propre comme au sens figuré, « le piment du piment ». On le cultive dans les régions tropicales et subtropicales. Plus épice que légume, à la différence du gros piment ou poivron, il entre dans la composition des carys ou currys, et dans l'assaisonnement des couscous.

Au carrefour du légume, de l'épice et du médicament, le piment de Cayenne a de fortes propriétés rubéfiantes et révulsives. Il figure à ce titre dans plusieurs pharmacopées, tandis que les poivrons doux sont prioritairement à usage alimentaire.

Il serait long et fastidieux d'établir la carte gastronomique mondiale des piments. Aux Antilles et en Amérique du Sud, ils composent la pimentade, un ragoût de poissons. Ils agrémentent aussi le riz et le poulet à la créole. Et que serait le couscous sans la harissa ? Les Italiens apprécient la *caldo di pimento*, et les Hongrois le goulasch au paprika, nom local du piment. Il entre en Espagne dans les chorizos, saucissons très relevés. En Afrique, il améliore la saveur du manioc. Au Mexique, il entre dans les *tortillas*. Dans le monde anglo-saxon, il est l'un des composants de base de condiments complexes, les *piccalillis* ou *pickles*. Il entre aussi dans la composition des curries indiens ou anglais. La salade de Belzébuth mérite bien son nom, relevée qu'elle est de piments de Cayenne mélangés aux poivrons, haricots et amandes.

Les piments contiennent des principes colorants, des principes piquants et des principes alimentaires.

Les principes colorants sont cousins de ceux de la carotte et de la tomate. Le carotène, principal pigment de cette série chimique, est accompagné d'une série de dérivés : capsanthine et capsorubine (responsables de la teinte rouge feu des piments), zéaxanthine (qui colore aussi en orange les grains de maïs), cryptoxanthine... Certains de ces pigments sont des provitamines A ; en d'autres termes, l'organisme les transforme en vitamine A.

Les principes piquants sont pour l'essentiel la capsaicine, huile jaunâtre à la saveur brûlante. Le piment enragé peut en contenir jusqu'à 1 % ; en revanche, le poivron doux en contient cent fois moins.

Les vitamines des piments sont les vitamines B1, B2 et C. La vitamine C y est si abondante que le Hongrois Szent Gyorgiy l'isola pour la première fois du paprika en 1933. Le poivron en contient jusqu'à 0,40 % ; mais le piment enragé en contient beaucoup moins.

Si le poivron est à vocation essentiellement alimentaire, le piment enragé sert en revanche de médicament révulsif contre les rhumatismes, les lumbagos et les névralgies : on utilise les teintures ou extraits de piment, mais non la capsaicine elle-même, nettement trop irritante et agressive.

Mais il est des applications moins innocentes des piments : ainsi, certains poisons de flèches contiennent du piment enragé, car il favorise la diffusion rapide des toxines dans l'organisme. En revanche, contrairement à la légende, le piment n'est nullement aphrodisiaque.

LA TOMATE

La tomate est originaire des vallées montagneuses des Andes péruviennes où les Incas la cultivaient bien avant Colomb. Les tomates sauvages ont des fruits de la grosseur d'une petite cerise et portent d'ailleurs le nom de *Lycopersicum cerasiforme* ; mais ceux-ci furent modifiés par la culture et c'est déjà une variété à gros fruits que les conquistadores importèrent en Europe au xvie siècle.

Les Indiens utilisaient les fruits de tomates pour préparer une sauce pimentée : c'était déjà une sauce tomate ! Lorsque la tomate entre en Europe, comme la pomme de terre après l'an 1500, c'est d'abord en Italie que l'on trouve trace de sa consommation à partir de 1560 ; elle y entre par Naples, puis à nouveau par Gênes et par Nice. Les Italiens l'appellent la « pomme d'or ». On la nomme aussi « pomme d'amour » en raison des propriétés aphrodisiaques qu'on lui a indûment prêtées. Au début du siècle, en Provence, on vantait encore les vertus roboratives de la pomme d'amour qui avait la réputation de restaurer les forces des jeunes mâles épuisés par leurs ébats !

Comme la plupart des plantes américaines, la tomate met longtemps à s'imposer en cuisine, car son appartenance à la famille des solanacées et sa ressemblance avec les fruits de la belladone la rendent éminemment suspecte. J. Bauhin rapporte même que l'huile dans laquelle on la fait cuire peut provoquer le sommeil par simple onction des tempes et des poignets, c'est-à-dire là où la peau est fine et où les substances actives des drogues végétales passent facilement dans la circulation sanguine : pratique que les sorciers d'antan connaissaient fort bien et à laquelle ils avaient recours pour eux-mêmes afin d'aller au sabbat[1] ! C'est en raison de cette grande toxicité supposée que les botanistes lui donnèrent le nom latin, qu'elle porte toujours, de *Lycopersicum*, la pêche du loup ; pour un peu, elle était aussi inquiétante que la célèbre mandragore ! Si l'on s'accorde à reconnaître aux botanistes du temps une certaine perspicacité dans la reconnaissance de l'appartenance botanique de la tomate à la terrible famille des solanacées, on déplorera en revanche l'incroyable manque d'observation concernant ses effets

1. Le sabbat est un état, non un lieu. Sous l'influence de plantes psychotropes de la famille des solanacées, notamment de la mandragore et du datura, l'organisme tombe dans un état de délire, avec visions et agitation intense : l'individu se sent emporté dans les airs, franchit des montagnes... Le manche du balai utilisé par les sorcières pour aller au sabbat était enduit de poisons psychotropes, et l'intromission du manche dans le vagin diffusait le poison dans tout l'organisme. D'où la sorcière chevauchant son balai et volant dans les airs...

supposés néfastes. Il est vrai qu'on ne la mangeait pas, car la première carrière de la tomate fut ornementale ; il était donc difficile d'évaluer la réalité de ses effets toxiques. Ici, la crainte venait de ces fameux cinq sépales pointus persistant à l'aisselle du fruit, induisant une fâcheuse ressemblance avec la baie toxique de la belladone.

C'est en Italie, puis dans les pays méditerranéens, que la tomate connut ses débuts d'utilisation culinaire en Europe. Pourtant, en 1760, dans le catalogue des graines de la maison Vilmorin-Andrieux, elle figure encore sous la rubrique des plantes ornementales, et il faut attendre 1778 pour qu'elle passe, dans ce même catalogue, sous la rubrique des plantes potagères. En 1785, consécration suprême, elle fut admise comme légume par « Le Bon Jardinier », la plus ancienne des encyclopédies de jardinage, toujours republiée depuis sa première édition en 1755, et qui en était en 1992 à sa 153ᵉ édition.

Les préjugés qui la tenaient pour une plante toxique étaient beaucoup plus vivaces dans le nord de la France que dans le Midi ; c'est la Révolution qui, en 1793, la réhabilita définitivement. Quand les Marseillais arrivèrent à Paris au chant de *La Marseillaise*, ils réclamèrent des tomates dans les auberges, et ils le firent avec une telle insistance qu'on finit par leur en procurer, mais à un prix très élevé. Quelques cuisiniers marseillais firent même rapidement fortune en se rendant célèbres par les diverses façons de préparer les tomates. Et la tomate fut dès lors si demandée que les maraîchers de Paris se décidèrent à la cultiver.

On renonça à l'accommoder à l'italienne, c'est-à-dire en salade, parce que les tomates de nos climats étaient de qualité inférieure, pour cet usage, à celles du Midi ; mais on l'adopta comme un condiment propre à faire des sauces pour toutes sortes de viandes rôties ou bouillies, et on l'utilisa sous forme de tomate farcie. Brillat-Savarin reconnaît qu'« on en fait d'excellentes sauces qui s'allient à toute espèce de viande », manière très parisienne de faire sien le dicton provençal : « C'est la sauce tomate qui fait la bonne viande ».

Puis la carrière de la tomate se poursuit en Amérique du Nord où elle est introduite par les colons à partir de 1812. Ainsi revenait-elle en Amérique près de trois siècles après l'avoir quittée pour l'Europe. Sa culture se développa considérablement dans le midi de la France où elle venait à point nommé pour remplacer les productions traditionnelles en perte de vitesse : vigne atteinte par le phylloxéra, mûrier ruiné par la concurrence internationale sur le marché de la soie, garance fournissant un pigment rouge vif, l'alizarine, qui, produit par synthèse dès 1869, rendit caduque la culture de la plante. Quant à l'alizarine elle-même, qui servait à teindre la toile des pantalons de l'infanterie française de 1835 à 1915, elle perdit de l'intérêt quand on se fut enfin rendu compte que lâcher dans la nature des fantassins couleur garance — ou couleur tomate — revenait à en faire de la chair à canon, tant cette couleur était voyante.

Sa réputation de plante toxique valut à la tomate d'être utilisée comme médicament dans d'innombrables indications toutes plus fantaisistes les unes que les autres. On alla même jusqu'à décrire une « cardiopathie tomatienne » consécutive à son ingestion, et caractérisée par de l'angoisse, rappelant l'angine de poitrine, le tout accompagné de phénomènes nerveux des plus dramatiques ! Dramatique erreur d'observation lorsqu'on sait que la tomate est sans aucun doute le légume le plus doux et le plus insignifiant qui soit. Mais il n'est aucun légume qui ait été, à l'instar de la tomate, l'objet de tant d'affabulations, dues à son appartenance à la redoutable famille des solanacées aux côtés de la terrible mandragore aux formes humaines, de la belladone aux fruits mortels, de la jusquiame des empoisonneuses et du datura qui rend fou. Aussi fallut-il beaucoup de temps pour débarrasser la malheureuse tomate de la réputation que lui valait son inquiétant cousinage.

Les tomates renferment plus de 90 % d'eau, de 3 % à 4 % de divers sucres, et de très faibles quantités de protides et de lipides, ainsi qu'une faible quantité d'acides organiques. La coloration du fruit est due à des pigments, notamment du carotène, précurseur de la vitamine A et de la xanthophylle, très répandus dans le monde végétal, et, plus spécifiquement, du lycopène (un pigment rouge vif très proche du carotène). La tomate est également riche en vitamines B, K et C. De valeur alimentaire fort réduite, malgré la présence de ces vitamines, elle doit sa carrière à sa saveur fraîche et agréable.

Devenue légume à part entière, la tomate connaît en France un grand succès. Un relevé récent signalait 99 variétés différentes cultivées de 1856 à 1966. Depuis cette date, le développement des serres et abris a entraîné la nécessité de disposer de variétés adaptées à ce nouveau type de culture. On a donc vu naître toute une collection de variétés nouvelles conformes également à la destination des produits récoltés : marché frais ou industrie, et, dans ce dernier cas, concentrés, tomates pelées, jus, poudres, etc. ; à chaque usage sa ou ses variété(s). L'on eut bien soin, en outre, de sélectionner des tomates résistantes aux maladies et notamment au virus de la mosaïque du tabac, d'où une prodigieuse éclosion de variétés nouvelles.

On est loin, on le voit, de l'âge légendaire de la tomate : celui de ses premiers pas en Europe où un médecin suisse raconta que, « appelé auprès d'un frénétique qui brisait tout, il parvint à le faire dormir rien qu'en lui donnant une tomate à tenir dans la main... » En fait d'affabulation médicale, on ne fait pas mieux !

CHAPITRE IX

Les légumes secs

LA FÈVE

Avec la fève, c'est au plus vénérable ancêtre du monde des légumes que l'on s'adresse. En effet, elle était déjà connue des hommes du néolithique Des grains de fève ont été trouvés sur les emplacements de la ville de Troie. Lorsque David arrive à Mahanayim, viennent à sa rencontre des habitants des villes ammonites qui apportent « des lainages, de la vaisselle, ainsi que du blé, de l'orge, de la farine, des épis grillés, des fèves, des lentilles, du miel, du lait caillé et du fromage, des brebis et des bœufs[1] ». Or, la scène se passait mille ans avant Jésus-Christ ! En Égypte, la fève avait très mauvaise réputation ; il était dangereux d'en supporter la vue, car les fèves passaient pour être le lieu de la transmigration des âmes. D'ailleurs, exposées au soleil, elles répandent l'odeur de la semence

1. *Samuel*, II, 17/28.

humaine et, de plus, lorsqu'elles commencent à germer, elles présentent la forme d'un organe sexuel féminin, puis celui d'un enfant... Hérodote rapporte que les prêtres égyptiens tiennent la fève en si grande horreur qu'ils en détournent les yeux comme d'une chose immonde. L'ostracisme égyptien atteint son paroxysme en Grèce où Pythagore en fit une vraie phobie. Poursuivi par ses ennemis, il fut rejoint pour n'avoir pas osé traverser un champ de fèves, de peur d'écraser les âmes des trépassés, réfugiées provisoirement dans le monde végétal. Empédocle, disciple de Pythagore, recommandait de s'abstenir de fèves, car le même mot signifie *fève* et *testicule* ; ce n'est donc pas la fève, mais l'acte charnel qui offusquait tant l'inventeur de la table de multiplication. Et Pythagore, comme Plutarque, considérait que cet aliment n'était pas propice à ceux qui recherchent la paix intérieure, car il provoque des visions et des songes désordonnés et gâtent le sommeil.

D'après Gubernatis, l'aversion pour la fève, dont les motifs sont mal connus, remonte encore plus loin que Pythagore. La mythologie en porte une trace évidente : lorsque Cérès vint à Phénéos, en Arcadie, elle fit don aux habitants de cette ville de plusieurs graines de légumineuses, mais elle en exclut la fève.

Complètement discréditée chez les Grecs, la voici qui passe chez les Romains, lesquels ne lui réservent pas meilleur accueil. Ceux-ci avaient remarqué les taches noires qui se détachent si nettement sur les ailes de la fleur, et ils les considéraient comme de lugubres présages...

Le « flirt » de la fève avec les gens d'Église n'apporte pas de perspectives plus réjouissantes ; Clément d'Alexandrie l'accusait d'entraîner la stérilité. Saint Jérôme lui attribuait au contraire des vertus aphrodisiaques ; dans une épître, il interdit les fèves aux religieuses à cause des effets qu'elles produisent — effets visiblement incompatibles avec la vie monastique, « parce qu'elles produisent des titillations aux parties génitales ».

Les auteurs du Moyen Âge et de la Renaissance réservent une meilleure place à la fève dans leurs traités ; un curieux halo de suspicion subsiste autour de la renommée de ces légumes secs. N'ont-ils pas la propriété de distendre tout le corps de leurs flatulences ? Mais il suffirait d'y ajouter des oignons pour en neutraliser les effets. C'est parce que les fèves font gonfler le ventre qu'on dit dans le peuple d'une femme enceinte qu'elle a mangé des fèves. On croyait aussi que l'odeur de ses fleurs pouvait engendrer la folie : « Fève fleurie, temps de folie ! » « Il a passé par un champ de fèves en fleurs » signifie : « Il a perdu l'esprit ».

Ce halo sulfureux qui entoure la fève n'est pas sans fondement. D'une part, il existe des haricots proches de la fève, susceptibles de contenir dans leurs graines de l'acide cyanhydrique, poison violent ; de nombreuses intoxications ont été relevées à la suite de la consommation de tels haricots, notamment à Java. D'autre part, la fève, comme toutes les vesces, contient des substances déclenchant des troubles qualifiés de favisme. Chez certaines ethnies répandues dans les pays méditerranéens et dotées d'un défaut enzymatique héréditaire, les vesces produisent une altération du sang avec hémoglobinurie, qui doit faire immédiatement cesser l'ingestion de ces vesces suspectes.

Il n'en demeure pas moins que les fèves entrent dans l'alimentation courante de l'Europe du Sud ; leur richesse en principes alimentaires est un peu inférieure à celle de la lentille, du haricot ou du pois.

LE HARICOT

Le pois, les fèves et les lentilles se retrouvent souvent de concert dans les ruines antiques d'Égypte, de Troie ou de Pompéi ; mais de haricot, jamais la moindre trace ! Certes, l'Antiquité romaine connaissait sous le nom de *Phaseolus* nos communes féveroles ; le haricot, en revanche, est originaire d'Amérique latine où Colomb le découvrit à Cuba. Il était connu dans toute l'Amérique, comme l'attestent les graines provenant de sépultures préhistoriques de l'Arizona et de l'Utah, aux États-Unis. En 1535, Jacques Cartier découvrit même des haricots à l'embouchure du Saint-Laurent.

Le haricot tarda quelque peu à s'imposer et les premiers spécimens firent leur apparition en Europe en 1564 où on les signale à Vienne, en provenance d'un monastère de Lisbonne : il s'agissait de haricots à rame, plus anciens que les haricots nains qui sont des mutants. Emmanuel Le Roy Ladurie propose une date d'introduction plus précoce encore : « En 1528, un humaniste italien, Valeriano, sème à Belluno, dans des pots de fleurs, un trésor venu des Indes ; le *fagiuolo*, autrement dit le haricot, importé du Pérou. La plante envahit l'Italie. En 1594, premier texte connu dans la France du Sud, et même dans la France tout court : la nouvelle culture est signalée dans le bas Rhône ; autour de Cavaillon, des bourgeois donnent à bail des terres, à semer de *faioulx*. Olivier de Serres, à son tour, s'intéresse aux *phasiols*. Ainsi font les gens de Thuir, les caboteurs du golfe du Lion (1615), les curés et les jardiniers d'Agde ; en 1637, un prêtre de cette ville, François Cormin, grand amateur de rosiers incarnats et de plantes nouvelles, lance la mode des pois blancs ou *faviols*. Bientôt les bourgeois, les maraîchers agathois imitent son exemple. Après la Fronde, le *faviol* ou *mongette* devient vraiment, dans le midi de la France, un produit de grande consommation[1]. »

Voilà côté jardin... Maintenant, du côté de la Cour, il semblerait que le haricot fut aussi introduit en France par Catherine de Médicis ; celle-ci en aurait reçu quelques grains de ce même Valeriano, qui les aurait lui-même obtenus du pape Clément VII, lequel les avait lui-même reçus des Indes occidentales. Comme le furet de la chanson, et comme bien d'autres légumes à l'origine, le haricot

---

1. Emmanuel LE ROY LADURIE, *Les Paysans du Languedoc*, 1966.

passait de main en main. La future épouse du roi Henri II arriva donc avec, dans ses bagages, le précieux haricot.

Il fallut encore plus d'un siècle pour que l'usage s'en répandît, du moins dans la France du Nord, car les nombreuses recettes de cuisine écrites sous le règne de Louis XIV n'en font toujours pas état. Il faut attendre 1750 pour trouver sous la plume d'un certain Geoffry un descriptif, d'ailleurs peu aimable, du haricot qu'il déconseille aux personnes délicates, aux gens d'étude et sédentaires, « parce qu'ils sont venteux, qu'ils chargent l'estomac et qu'ils sont difficiles à digérer ». Au XIXᵉ siècle, Brillat-Savarin renforce la charge et lance l'anathème contre ce légume, exécré à cause de ses propriétés obésigènes. Ce qui n'empêcha cependant pas Napoléon de faire ses délices des haricots à l'huile. On aura compris que le haricot dut longtemps pâtir des moqueries que suscitaient les orages intestinaux qu'il déchaîne.

Les Grecs désignaient sous le nom d'*arakos* une plante à graine comestible proche du haricot. Et les Mexicains appelaient *ayacotl* le vrai haricot, dont le nom a donc curieusement une double origine. Mais le dolique, autre faux ancêtre du haricot, avait un autre nom grec : *phasiolos*, qui devint le *phaseolus* des Latins. *Phaseolus* est resté le nom savant du haricot, mais a produit un diminutif en argot : fayot.

Long à s'imposer, le haricot, une fois installé, fit passer à l'arrière-plan d'autres légumes secs consommés en Europe et parfois confondus avec lui ; ceux-ci appartiennent également à la famille des fabacées et aux genres *Vigna*, *Dolichos*, sans oublier les fèves, encore consommées dans le bassin méditerranéen.

La fleur du haricot présente l'architecture propre à la famille des fabacées : la corolle est formée de cinq pièces dont l'une, l'étendard, dressée de front, est un excellent appareil publicitaire destiné à attirer les insectes pollinisateurs. De part et d'autre, deux ailes enveloppant deux autres pièces disposées en forme de bateau : la carène, qui constitue le « fond » de la fleur ; et, dans ce fond, dix étamines et un pistil allongé où se dessine déjà la forme de la future gousse. Toutefois, chez le haricot, la carène est réduite à deux petites lames, sans adhérence entre elles et n'enfermant que très imparfaitement le pistil. Celui-ci se trouve donc particulièrement exposé au pollen étranger, d'où des croisements spontanés plus fréquents chez le haricot que chez les autres fabacées.

Les haricots se classent en deux grandes catégories : les haricots à écosser, dont la gousse renferme une couche parcheminée qui la rend impropre à la consommation, et les haricots verts ou haricots sans parchemin ou mange-tout, dont la mode s'est répandue au XIXe siècle. Naturellement, les variétés de haricots n'ont cessé d'être améliorées et l'on estime que les plantes naines, les gousses sans fils, les gousses sans parchemin, les gousses vertes, les gousses couleur beurre, les grains blancs sont autant de variations des types primitifs.

Depuis 1960, les haricots nains sont récoltés

mécaniquement, puis, à partir de 1970, la récolte longitudinale a fait place à la récolte frontale ; et les variétés de haricots ont été simultanément modelées et remodelées pour suivre l'évolution du machinisme agricole. Les haricots à rame sont impropres à la culture industrielle en raison de leur besoin de support ; ils ont donc beaucoup régressé par rapport aux haricots nains, aujourd'hui universellement répandus.

Comme chez toutes les légumineuses, la graine de haricot est très riche en protéines. Aussi le haricot est-il un des légumes les plus nutritifs.

LA LENTILLE

Henri Leclerc relate à propos des lentilles l'anecdote suivante : « Monsieur l'abbé Bœuf, dont mes condisciples du lycée Henri-IV se rappellent sans doute l'embonpoint majestueux, le sourire bienveillant et l'immense mouchoir à carreaux, M. l'abbé Bœuf n'aimait pas les lentilles : il nous en fit implicitement l'aveu, un jour qu'il commentait, devant son auditoire de bambins, l'histoire d'Ésaü et de Jacob : "Messieurs, nous dit-il, les Saintes Écritures ne disent pas expressément qu'Ésaü vendit son droit d'aînesse pour un plat de lentilles ; comment croire, d'ailleurs, qu'il eût été assez niais pour sacrifier un privilège si enviable à quelques cuillerées d'un légume si fade et si grossier ?" Cette leçon d'exégèse obtint d'autant plus de succès que la plupart des auditeurs partageaient l'aversion de

M. l'Aumônier pour les lentilles qui, sur les tables du réfectoire, succédaient aux haricots avec l'inexorable rigueur d'une loi prévue par le Destin ; pendant la récréation, il ne fut question que d'Ésaü et de la préparation culinaire qui avait excité sa convoitise, chacun s'ingéniant à en identifier rétrospectivement la nature. Au réfectoire, quelques fortes têtes se refusèrent énergiquement à toucher aux lentilles. Monsieur le Censeur, informé de cette protestation, leva les bras au ciel, gémit sur la décadence de la discipline, distribua un certain nombre de pensums et, un jour qu'il rencontra M. l'Aumônier, lui reprocha d'avoir dénigré "dans l'esprit de ces messieurs" un légume recommandable par ses qualités nutritives et économiques et dont une tradition vénérable avait établi l'usage dans les écoles consacrées à l'enseignement secondaire. »

La lentille est une des légumineuses les plus anciennement connues ; on la trouve à Paris dans les fouilles du Louvre, datées de 1 000 ans avant Jésus-Christ. Sans doute avait-elle été importée d'Égypte en Palestine, car on observe sur une fresque de Ramsès II un personnage occupé à préparer une bouillie de lentilles. Elle a d'ailleurs été découverte en Égypte dans des tombes, remontant à 2200 ans avant l'ère chrétienne. En Grèce, elle fut traditionnellement la nourriture des pauvres, car les riches la bannissaient de leur table. D'un homme nouvellement enrichi, on disait : « Maintenant, il n'aime plus les lentilles. » Mais les philosophes aux mœurs spartiates en faisaient au contraire leur quotidien.

Comme la fève, et plus qu'elle encore, la lentille eut toutes les peines du monde à se débarrasser de solides préjugés médicaux. Pour Dioscoride, elle produit des paniques d'entrailles. Pour Galien, elle va jusqu'à engendrer éléphantiasis et cancer. Aussi les cuisiniers du Moyen Âge employaient-ils les ruses les plus inattendues pour préparer un plat de lentilles : il fallait « en enlever l'écorce, les faire cuire dans de l'eau de pluie avec du poivre et du cumin, puis dans de l'eau vinaigrée aromatisée de menthe, de persil, de sauge et de safran... » Artifices superfétatoires, puisque, selon J. Alexandrinus, « la lentille, seule substance que nul artifice ne peut corriger, devait être rigoureusement proscrite de l'alimentation ». Et pourtant, Hippocrate soigna son malade Alcman d'un bouillon de lentilles accompagné de petits chiens bouillis... Pour Dioscoride, la débilité de l'estomac disparaît comme par miracle à l'absorption de 30 lentilles. Avicenne puis Ambroise Paré en font le spécifique de la variole. Bref, la lentille orienta une pharmacopée généreuse et variée sans qu'aucune de ses propriétés ne se confirmât par la suite.

Comme toutes les légumineuses productrices de légumes secs, la lentille a une grande valeur alimentaire. Très riche en sucre et en protéines, elle contient en outre des vitamines B1, B2 et PP. Facile à produire, facile à stocker, facile à conserver, la lentille s'est révélée un aliment précieux en période de disette. Quant à son rôle médical, qui

fut si considérable, il n'en reste plus trace aujour-
d'hui.

LE POIS

« Le chapitre des pois dure toujours, écrivait
Mme de Maintenon en 1696 ; l'impatience d'en
manger, le plaisir d'en avoir mangé et la joie d'en
manger encore sont les trois points que nos princes
traitent depuis quelques jours... » À la cour de
Louis XIV, les petits pois, on le voit, faisaient
fureur. Cette mode du petit pois dura longtemps
puisque, au siècle suivant, Mme de Sévigné informa
sa fille, Mme de Grignan, de cette dernière « fureur
à la mode » ; et, sous la Restauration, le marquis de
Cussy se félicitait d'avoir assisté, chez Mme Hope,
à une fête magnifique qui réunissait « les premières
notabilités de la banque, des femmes charmantes
et des petits pois délicieux. » C'était encore l'époque
où les modes venaient des cours et des grands.
Mais qui saurait dire d'où elles viennent aujour-
d'hui ?

Les pois comptent parmi les plus anciens de nos
légumes ; ils étaient déjà à Paris à l'âge de bronze,
soit près de deux millénaires avant Jésus-Christ. On
a découvert, en effet, dans les fouilles menées
autour de l'Arc du carrousel, au Louvre, des restes
de froment, de millet, mais aussi des lentilles, des
pois, des vesces et même une pomme sauvage.
C'était encore la campagne, tout près de ce qui
allait devenir le centre de la capitale. On a retrouvé

des graines de pois dans de nombreux vestiges d'établissements remontant à l'âge de pierre, il y a 10 000 ans, en Anatolie, en Iran, en Grèce, en Palestine. D'où l'idée qu'il serait originaire de l'Orient, de l'Inde ou de la Perse et qu'il aurait été importé ensuite en Asie Mineure et en Europe par les peuples aryens. Importation en tout cas très ancienne, puisqu'on en trouve en Suisse et en Hongrie dans des stations datant aussi de l'âge de pierre et de l'âge de bronze. L'Antiquité grecque, avec Théophraste, connaît le pois, et l'Antiquité latine, avec Pline et Columelle, aussi. Pline indique que « le pois supporte très mal le froid ; aussi, en Italie, on ne le sème qu'au printemps, dans une terre meuble et légère et dans des lieux bien exposés ». Cette assertion suppose que, comme du temps de Théophraste, il ne s'agit pas de notre pois cultivé, qui ne craint pas le froid, mais probablement du *Pisum elatius*, une espèce très voisine. Si l'on proportionne l'importance de la culture à la longueur de l'article qui le mentionne, le pois devait être très peu cultivé à cette époque ; la fève viendrait en tête de liste et le pois arriverait bon dernier, comme chez les Grecs.

Après la décadence de l'Empire romain et l'arrivée des Barbares, une longue période s'écoule avant que l'on entende reparler des cultures et des plantes cultivées. Au Moyen Âge, les sciences naturelles sont peu développées et nous n'avons que des références indirectes — vie économique, impôts, relations de périodes de famine, fabliaux, etc. —, situées d'ailleurs dans la seconde moitié du Moyen Âge. Le pois est mentionné constamment dans les chroniques qui relatent en particulier de nombreuses façons de l'accommoder. Il semble donc que, au cours de l'évolution de cette période, il prend de plus en plus d'importance, rejoint la fève et se place avec elle au même niveau que le blé. « D'une façon générale, selon Hedrick, sous les climats plus froids du nord et du centre de l'Europe, il était un des légumes les plus communs et les plus cultivés pour la consommation en grains. Il paraît avoir la même importance que les céréales et constituait la principale ressource contre les fréquentes famines de l'époque, comme aujourd'hui la pomme de terre et le haricot, qui ont d'ailleurs pris la place du pois dans la nourriture hivernale des pays européens. » Bref, il semble bien qu'à la fin du Moyen Âge les pois jouissaient de l'estime universelle des consommateurs, si l'on en croit ce vieux quatrain qui exprime l'idéal paysan de l'époque :

Qui a des pois et du pain d'orge,
Du lard et du vin pour sa gorge,
Qui a cinq sous et ne doit rien,
Il se peut qu'il est bien.

On a aussi trouvé des pois dans les ruines de l'ancienne Troie : c'est dire l'impressionnante ancienneté de cette légumineuse !

On mangea d'abord les grains mûrs et secs, et ce furent les Hollandais qui commencèrent à consommer les pois encore verts à partir de 1610.

Le pois vert, ou petit pois, est donc relativement moderne. Un passage d'une chronique datée de 1651 indique qu'« il y a une espèce qui peut se manger en vert et qu'on appelle pois de Hollande. Elle était fort rare il n'y a pas longtemps... » Cette pratique entre en France en 1660, lorsque Louis XIV reçoit de Gênes un cageot de pois à écosser. Jean de La Quintinie les cultiva dans son potager de Versailles, et de là naquit la mode dont il est question plus haut. Flaubert raffolait du canard aux petits pois et lorsque ses canards menaient trop grand tapage, il n'avait qu'à s'écrier : « Il me semble qu'il est temps d'écosser les petits pois ! » pour obtenir aussitôt, dit-on, un parfait silence de sa basse-cour...

On distingue chez les pois un grand nombre de variétés, mais elles se répartissent en deux catégories : les pois à écosser et les pois mange-tout. La gousse des premiers est revêtue à l'intérieur d'une sorte de parchemin qui la rend impropre à la cuisson ; en revanche, les seconds ont perdu ce revêtement parcheminé et peuvent être consommés sans être écossés. Aujourd'hui, les pois mange-tout sont une variété purement jardinière qui ne fait pas l'objet d'un négoce important ; il n'en est pas de même pour les pois à écosser qui sont traditionnellement les pois nains et les pois à rame, les pois à grains ronds et les pois à grains ridés. C'est en croisant des pois ronds et des pois ridés, des pois à fleurs blanches et des pois à fleurs rouges, que le moine Mendel, dans son jardin du monastère de

Brno, en Tchécoslovaquie, découvrit les lois régissant la transmission des caractères héréditaires.

Les pois à grains ridés stockent les sucres, non sous forme d'amidon, mais sous forme de dextrine et de sucre simple. Aussi conservent-ils plus longtemps leur saveur sucrée. Ce sont ces variétés qui entrent dans l'industrie de la conserverie. Aujourd'hui, la récolte de ces pois est entièrement mécanisée.

Les pois font partie des légumes secs et possèdent à ce titre une valeur alimentaire très supérieure à celle des légumes frais. Ils sont riches en provitamine A, en vitamines B et C, mais aussi en vitamines moins courantes, comme les vitamines E et PP. Mais ce sont surtout les hautes teneurs en protéines et en hydrates de carbone qui leur confèrent leur valeur énergétique. L'ancienne coutume qui consistait à offrir une *pitance*, c'est-à-dire une purée de pois pilés, aux pauvres à la porte des couvents était donc bien fondée. La valeur nutritive du pois est légèrement inférieure à celle de la lentille, mais dépasse en revanche celle du haricot.

La haute teneur en protéines est une caractéristique de toutes les légumineuses qui fixent l'azote de l'air grâce au labeur de micro-organismes vivant dans les nodules de leurs racines et qui stockent cet azote sous forme de protéines. Cette famille de plantes joue donc un rôle écologique fondamental, exerçant le privilège, tout à fait rare dans la nature, de fixer l'azote de l'air et de le transformer en matière vivante.

Pour finir, il convient d'évoquer le pois chiche ; *Cicer arietanum*, qui n'appartient pas au groupe des pois, même si sa graine bizarrement pointue évoque par sa forme un gros pois. Le pois chiche est un aliment très ancien, et une anecdote rapporte que Cicéron lui doit son nom, car il appartenait à une vieille famille plébéienne enrichie par la culture des pois chiches. Une autre version voudrait que le nez de Cicéron, ou de l'un de ses ancêtres, fût orné d'une excroissance qui le fit comparer à un pois chiche...

LE SOJA

Le soja est en quelque sorte la variante asiatique du haricot. C'est une belle légumineuse annuelle et herbacée, dépassant rarement un mètre ou 1,50 m de hauteur selon les variétés, et jamais grimpante. Cultivé en Chine, dont il est originaire, depuis cinq millénaires, il s'est d'abord répandu dans tout l'Extrême-Orient et n'est entré en Europe qu'au XVIIᵉ siècle. Il fut introduit en France par des missionnaires vers 1740, mais resta longtemps confiné dans les collections botaniques. Ce n'est qu'à partir de 1855 que l'attention fut attirée sur lui par la Société d'acclimatation. Mais sa culture ne remonte guère qu'à la fin du XIXᵉ siècle, sans pour autant connaître en Europe l'importance qu'elle a revêtue aux États-Unis, qui comptent parmi les plus gros producteurs mondiaux de soja. On pourrait dire du soja qu'il a exagéré la synthèse des protides, comme la betterave sucrière l'a fait de celle des sucres. Ses graines sont, en effet, les plus riches en protides qui soient connues, avec des teneurs pouvant atteindre 50 % de protéines ; elles contiennent également de 15 % à 20 % de lipides, teneur qui est loin d'être négligeable ; mais, en revanche, elles sont plus pauvres en sucres que celles des autres légumes secs, ce qui indique le soja dans l'alimentation des diabétiques.

La graine de soja bat le record absolu du pouvoir calorique : on estime qu'elle apporte, à poids égal, quatre fois plus de calories qu'une quantité correspondante de viande de bœuf. Un record absolu ! En effet, le soja peut avantageusement remplacer la viande, car il contient tous les acides aminés nécessaires à l'homme. Aussi le consomme-t-on sous les formes les plus variées. La poudre ou la farine de soja est utilisée en pâtisserie. Délayée dans l'eau, elle permet la fabrication du lait de soja. Avec ce lait et la caséine du soja, on prépare par fermentation le fromage de soja. Quant à l'huile, elle sert de matière grasse, tandis que l'on apprête des sauces au soja qui sont d'excellents condiments. Le soja est donc un aliment presque complet, le plus riche et le plus original des légumes. Il contient en outre toutes les vitamines du groupe B, un peu de vitamine E et des traces de vitamine D.

On consomme aussi sous le nom de « pousse de soja » les graines germées de *Phaseolus mungo*, sorte de haricot d'origine asiatique, cultivé en

Égypte depuis 2 000 ans, et qui, en fait, n'a rien à voir avec le soja.

Mais le soja ne nourrit pas seulement les hommes ; il nourrit aussi la terre, lui apportant en moyenne 200 kg d'azote par hectare : autre performance propre à la famille des fabacées — ex-légumineuses — à laquelle il appartient.

Lorsque la terre, au milieu du siècle prochain, comportera plus de dix milliards d'êtres humains, il faudra, pour satisfaire les besoins alimentaires, avoir davantage recours aux protéines d'origine végétale, moins coûteuses écologiquement que les protéines animales : car il est évidemment plus aisé de produire des protéines directement par les plantes que d'utiliser les plantes pour nourrir les animaux avec un rendement final en protéines par hectare très inférieur. Le soja a donc de fort beaux jours devant lui.

TROISIÈME PARTIE

Demain, les légumes

CHAPITRE X

Le bricolage de la vie

L'expression « révolution verte » fut proposée au cours des années 1960 pour exprimer l'accroissement des productions agricoles obtenu grâce à des variétés nouvelles que les techniques classiques d'amélioration génétique avaient permis de sélectionner. L'introduction de ces variétés à fort rendement, surtout de blé et de riz, permit à certains pays, dont l'Inde et la Chine, de parvenir en quelques décennies à une approximative autosuffisance alimentaire. En vingt ans, grâce pour moitié aux progrès de la sélection génétique, pour moitié à l'amélioration des techniques culturales (notamment par l'emploi massif d'engrais), les rendements des blés, orges et maïs cultivés en France ont plus que doublé. Or, il faut environ de huit à dix ans pour mettre au point une nouvelle variété, temps considéré comme fort long par nos sociétés soumises à la loi du « toujours plus, toujours plus vite ». Aussi a-t-on vu l'agronomie subir à son tour une véritable révolution mettant en œuvre techniques et procédés encore inconcevables naguère.

Désormais, l'amélioration et la production des plantes ne se font plus seulement par les méthodes classiques de sélection exposées au fil des précédents chapitres, mais à partir de matériaux tout différents que la biologie cellulaire et moléculaire met à la disposition des chercheurs : cultures de cellules, de protoplasmes, de tissus, multiplications et croisements par voie asexuée, transferts de gènes d'une espèce à une autre, etc. Les ingénieurs généticiens, dépositaires des stratégies neuves du génie génétique, visent par ces moyens à propager très rapidement — en tout cas, plus rapidement que par les méthodes éprouvées de la sélection classique — des cultivars intéressants et à en créer de nouveaux.

Non seulement on va plus vite, mais on peut se livrer à des performances hier encore inimaginables. Jusqu'alors, les hybridations s'exerçaient, sauf rares exceptions, dans le cadre strict d'une espèce : on hybridait deux variétés pour en obtenir une troisième possédant les avantages des parents. Désormais, la frontière de l'espèce est aisément franchie, soit que l'on combine des contenus cellulaires appartenant à deux espèces différentes, pas toujours affines, soit que l'on transfère dans le patrimoine génétique d'une espèce des gènes prélevés sur une autre. Quelques exemples illustreront cette nouvelle gamme de procédés.

Des pommes de terre sans virus

Le cas de la pomme de terre est significatif : elle est la quatrième culture vivrière dans le monde après le riz, le blé et le maïs. Cultivée dans une centaine de pays, elle produit plus de calories, de protéines, de vitamines et de sels minéraux par unité de surface et de temps que la plupart des céréales ou autres plantes à racines ou tubercules comestibles. Bref, sa valeur alimentaire n'est plus à démontrer. Mais la pomme de terre est vulnérable : 266 parasites et organismes pathogènes peuvent l'attaquer, dont 17 provoquent des dégâts importants. La contre-offensive consiste naturellement à sélectionner des variétés résistantes à ces parasites dont les virus comptent parmi les plus redoutables.

En 1968, Morel, Martin et Mueller entreprirent de lutter contre ces infections virales de la pomme de terre. Pour cela, ils cultivèrent des germes de pomme de terre maintenus à l'obscurité et à la température de 37 °C-38 °C. À l'extrémité des germes se trouve l'apex, formé de cellules en état de division intense ; or, ces cellules ne contiennent pas de virus pathogènes, qui ne passent pas dans l'apex, même lorsque le tubercule qui leur a donné naissance est contaminé ; il suffit donc de repiquer des fragments d'apex pour obtenir des pommes de terre saines débarrassées de virus. Méthode préventive d'autant plus précieuse qu'on ne sait pas guérir les viroses végétales — pas plus d'ailleurs que les viroses humaines. Mais comment faire d'un apex une pomme de terre ?

Ici intervient une étonnante propriété de la cellule végétale embryonnaire : sa totipotence, c'est-à-dire son aptitude à reproduire seule, par divisions cellulaires successives, un individu complet et viable. En effet, chaque cellule possède dans ses gènes le programme complet de l'espèce à laquelle elle appartient. Ainsi, une double intervention — culture d'apex et thermothérapie à 38 °C — ont permis d'éliminer les virus de la pomme de terre et d'obtenir des races résistantes.

De surcroît, ce mode de propagation *in vitro* est très rapide ; on a commencé à le mettre en œuvre sur les pommes de terre en 1973. Pour cela, on prélève des germes sur un tubercule ; puis on les stérilise et on les découpe en menus fragments comprenant chacun un « œil » avec un bourgeon. Chaque fragment est cultivé sur un milieu artificiel adéquat et donne naissance à une plantule ; celle-ci sera à son tour fragmentée en microboutures, amas cellulaires qui, mis en culture, donneront de nouvelles plantules. Par démultiplications successives, on obtient en 8 mois, à partir d'un seul germe, 2 millions de microboutures, c'est-à-dire de quoi planter 40 hectares ; en revanche, avec le bon vieux procédé de multiplication végétatif par tubercules, il aurait fallu sept ou huit ans pour obtenir le même résultat.

Ces méthodes de micropropagation ont été adoptées dans des pays en développement comme l'Algérie, le Maroc, Cuba ou la Thaïlande. Dans ce dernier pays, la culture de la pomme de terre est une solution de rechange, très encouragée par le gouvernement, à la culture illicite du pavot.

On peut aussi désormais hybrider deux cellules non sexuelles par fusion de leur protoplasme ; il s'agit de cellules dont les parois pectocellulosiques ont été digérées par des enzymes et qui ne sont plus entourées que par leur membrane cytoplasmique. On est ainsi en mesure de croiser, par exemple, une variété cultivée de pomme de terre avec des variétés sauvages d'Amérique du Sud, ces dernières introduisant tel ou tel gène considéré comme intéressant par le sélectionneur. On parvient même à créer des plantes haploïdes, ayant un nombre de chromosomes réduit de moitié, en cultivant *in vitro* des grains de pollen. Bref, la biologie a franchi là quelques-unes de ses limites, autorisant des performances parfaitement inouïes.

Les défis des biotechnologies

Restent les transferts de gènes, techniques toutes dernières venues dans l'arsenal de l'apprenti sorcier biologiste qui, parce qu'il se prétend un technicien de la vie, aime à se baptiser du nom fort à la mode de « biotechnologue ».

Depuis le milieu des années 1980, ces pratiques ont commencé à produire quelques résultats Il s'agit de transférer dans une plante un gène prélevé sur une autre, voire un autre être vivant, afin de lui conférer l'avantage que détermine ce gène résistance aux parasites, aux pesticides, bonne durée de conservation, etc.

L'une de ces méthodes consiste à mettre le matériel végétal en communication avec une bactérie tumorigène, l'*Agrobacterium tumefaciens*, qui, inoculée à la faveur d'une blessure, entraîne chez beaucoup de plantes une tumeur : la galle au collet. Par cette tumeur, quelques gènes de la bactérie se transfèrent aux cellules saines de la plante et se transmettent à leur descendance : on obtient ainsi des tissus végétaux ayant intégré une information venant de l'*Agrobacterium*.

Ainsi voient déjà le jour dans les laboratoires de recherche des plantes résistantes aux herbicides : il suffit pour cela de leur inoculer le gène induisant la synthèse de l'enzyme dégradant ledit herbicide ; la plante détruit alors l'herbicide au lieu d'être détruite par lui. On peut également créer des plantes résistantes à des organismes pathogènes : ce résultat a été obtenu après transfert de gène de *Bacillus thurigensis* qui permet de combattre les pyrales, lépidoptères défoliateurs s'attaquant aux grandes cultures vivrières, notamment au maïs et au riz. Riz et maïs sont dès lors protégés de l'appétit dévastateur des pyrales

Pour le cultivateur, les herbicides les plus per formants sont évidemment ceux qui détruisent le maximum de mauvaises herbes tout en respectant la culture que l'on entend protéger de leur concurrence. Malheureusement, la plupart des herbicides sont peu spécifiques et s'attaquent également à bon nombre de plantes cultivées. D'où l'intérêt de pouvoir disposer de semences de plantes qui leur résistent, comme ces plants de tomates ou de pommes de terre présentés par la société belge Plant Genetic System en janvier 1987 ; ils sont parfaitement résistants à la phosphinotricine, herbicide commercialisé par Hœchst sous le nom de Basta, et transmettent ce caractère à leurs descendants. Pour les créer, on a eu recours au fameux *Agrobacterium tumefaciens*, capable de réaliser, lorsqu'il est bien pris en main par les chercheurs, une étonnante manipulation génétique naturelle. Voyons de plus près comment on s'y prend.

Cette bactérie transfère dans le noyau des cellules des plantes qu'elle infeste une partie de son ADN, le T-ADN, porté par le plasmide *Ti* ; elle réussit ainsi à détourner à son profit les métabolismes des plantes, ce qui se traduit, on l'a vu, par l'apparition d'une tumeur : la galle au collet. Pour introduire dans une plante un gène comme celui qui détermine la résistance au Basta, il « suffit » donc, après l'avoir isolé, de l'insérer dans le T-ADN du plasmide *Ti*, puis de mettre ces *Agrobacterium* modifiés au contact de protoplasmes, cellules végétales débarrassées de leur paroi par un traitement enzymatique et cultivées *in vitro*. On aura pris soin au préalable d'enlever le T-ADN des gènes responsables de la tumorisation et de lui greffer, avec le gène choisi, des séquences d'ADN appelées promoteurs, qui permettront l'expression dans la plante du gène choisi au bon endroit, voire au bon moment. Après ces jolis tours de passe-

passe, les protoplasmes transformés régénèrent des plantes normales mais résistantes à l'herbicide.

Dans ce champ de recherche, les réussites se sont multipliées au cours des toutes dernières années. Par exemple, les plants de tabac, de tomates, de soja, de coton proposés par la société californienne Calgen ne craignent plus le glyphosate, autre herbicide ainsi neutralisé par la plante qu'il lui est interdit d'attaquer dès lors que sa raison d'être est de la protéger !

Les enfants des pommes de terre et des tomates

Si l'hybridation est l'arme secrète du sélectionneur, elle peut désormais permettre d'obtenir des hybrides entre deux espèces qu'il serait impossible de croiser par les voies naturelles. Avec la fusion des protoplasmes, l'impossible devient possible. N'a-t-on pas hybridé de la sorte la tomate et la pomme de terre pour engendrer une « pomate » ? Tour de force tout relatif, d'ailleurs, car cette monstrueuse union donne des fruits inférieurs aux tomates et des tubercules inférieurs en qualité et en quantité aux pommes de terre. De surcroît, l'hybride est stérile et ne perpétue donc pas sa douteuse ascendance.

On est naturellement amené à s'interroger sur les résultats de ce travail d'apprenti sorcier et sur ses éventuels dérapages. La réponse est venue le 24 mai 1992 de la Food and Drug Administration,

la toute-puissante administration américaine chargée du contrôle des produits alimentaires et phar-
maceutiques. Elle a officiellement déclaré que les
produits alimentaires modifiés génétiquement, lorsqu'ils ne soulèvent pas de problèmes spécifiques
en matière de sécurité, n'ont besoin ni d'autorisa-
tion, ni de label particulier pour être mis sur le
marché. Le transfert de gène d'une espèce à l'autre
est donc licite et peut s'effectuer sans aucun
contrôle.

Pourtant, de fortes pressions s'étaient exercées
aux États-Unis avant que ne soit émis ce texte
réglementaire. La National Wild Life Federation
avait protesté en ces termes : « Vous allez trouver
sur le marché des tomates et des pommes de terre
dont vous ignorerez si elles contiennent ou non
un gène étranger, si ce gène provient d'un être
humain, d'un chameau ou d'une bactérie... » Mais,
dans l'Amérique ultralibérale, la fameuse loi du
marché finit toujours par l'emporter. L'histoire de
la petite tomate Flavr Sravr est à cet égard sugges-
tive. Elle avait mûri des années durant dans les
laboratoires californiens de Calgen, société de bio-
technologie comme on en compte des dizaines
aux États-Unis. L'un des chercheurs, analysant ses
chromosomes, avait repéré puis bloqué les gènes
responsables de l'amollissement et du pourrisse-
ment de ses tissus. Testée en plein champ en 1989,
la petite solanacée s'était montrée à la hauteur des
ambitions de ses créateurs : jeune et ferme plusieurs semaines encore après sa récolte, elle était
ainsi devenue l'un des premiers produits végétaux

de grande consommation à bénéficier à l'échelle industrielle du génie génétique — une tomate de génie, en quelque sorte !

Dans le même temps, la société néerlandaise Florigene créait des roses bleues ! D'autres modifications sont plus discrètes, mais toutes ces plantes portent dans leurs chromosomes un gène spécifique introduit ou modifié par l'homme pour leur conférer une qualité nouvelle : haute résistance aux herbicides (tomate, pomme de terre) ou aux insectes ravageurs (coton), plus longue conservation (tomate), capacité accrue de lutter contre les intempéries, la sécheresse ou la pauvreté de la terre.

Pour ce qui est de la tomate eugénique, quel danger pouvait-elle représenter ? Les chercheurs ont simplement bloqué dans ses chromosomes un gène pour l'empêcher de pourrir. Après accord des autorités américaines, voici donc qu'elle fait jurisprudence. Gageons qu'elle connaîtra aussi une très brillante carrière commerciale !

Tandis que la position très libérale de la FDA ouvre largement la voie aux recherches sur les plantes transgéniques, la France, leader européen en matière de génie génétique appliqué à l'agroalimentaire, a adopté, le 25 mai 1992, un projet de loi relatif au contrôle de l'utilisation et de la dissémination des organismes génétiquement modifiés. Ce texte institue deux commissions de contrôle : l'une est chargée d'évaluer les risques que présentent les organismes génétiquement modifiés — baptisés OGM — et les procédés utilisés pour leur obtention ; l'autre est chargée de mesurer les risques liés à la dissémination volontaire de ces OGM. Ces textes découlent de deux directives européennes publiées en 1990. Comme quoi l'Europe peut parfois suppléer aux retards des États membres.

Contraste, en tout cas, entre le laxisme américain et le volontarisme européen : deux positions on ne peut plus contrastées de part et d'autre de l'Atlantique !

CHAPITRE XI

Alimentation d'aujourd'hui et de demain

Si le légume aujourd'hui relève la tête, il convient de se souvenir qu'il revient de loin. L'histoire des menus ou des recettes suffit à le confirmer : pendant des siècles, il ne fut qu'un mets d'accompagnement destiné à mettre en valeur la viande.

Viande ou légumes ?

Cette idée de la supériorité de la viande sur les légumes n'est certes pas nouvelle, mais elle trouva sa justification scientifique au XIXe siècle avec la mesure en calories de la valeur énergétique des aliments. Ainsi, on raconte qu'en 1833 les ouvriers employés aux forges du Tarn se nourrissaient presque exclusivement de végétaux. Chaque ouvrier perdait en moyenne, pour cause de maladie, 15 journées de travail par an. M. Talbot, député de la Haute-Vienne, prit en main la direction de cette entreprise ; il substitua l'usage de la viande au régime végétarien, et voici que le nombre annuel de journées perdues tomba à 3 seulement. Toutefois, l'histoire ne précise pas comment étaient composés les menus végétariens des infortunés ouvriers. Étaient-ils équilibrés ? Probablement pas, d'où leur résultat fâcheux qui ne saurait pour autant condamner en soi le régime végétarien.

Geoffroy Saint-Hilaire est encore plus sévère que M. Talbot ; il déclare que le régime végétal, lorsqu'il constitue la règle alimentaire d'une population, mène promptement celle-ci « à la dégénérescence et à l'abâtardissement ». Mais, à côté de ce type de discours, il est d'autres sons de cloche. Celui que tient, par exemple, l'abbé Lemire, fondateur de la Ligue du coin de terre et du foyer, célèbre instigateur des jardins ouvriers. L'ouvrier cultive son potager et conserve ainsi un contact avec la terre, ses rites et ses rythmes. Il échappe par là à la tyrannie des rythmes industriels, aux cadences infernales, et aux fatigues du travail posté, jugées effrayantes. Pour l'abbé Lemire, la terre et la famille constituent les piliers de toute vie sociale décente, et le jardin ouvrier est un facteur d'équilibre et de détente.

Vient la Seconde Guerre mondiale où l'insuffisance du ravitaillement oblige à se rabattre sur les légumes des lopins et des champs. Le jardin parfois délaissé se transforme alors promptement en potager : c'est l'heure de gloire du topinambour et du rutabaga. Mais, avec l'après-guerre et l'avènement de la société de consommation, on assiste à un accroissement considérable de la population urbaine, au développement du travail féminin, à la réduction du temps consacré à la cuisine et à l'essor de la consommation hors foyer.

Les nouvelles gammes

De 1961 à 1988, le volume de la consommation d'aliments surgelés par habitant passe de 0,2 kg à 18,4 kg par an. Même explosion pour les « produits de la 4e gamme », c'est-à-dire le marché des produits frais sous emballage prêts à l'emploi : ce marché, qui touche surtout les salades en sachet, est passé, entre 1981 et 1988, de 0 à 30 000 tonnes. Expansion plus extraordinaire encore pour les « produits de la 5e gamme », c'est-à-dire ceux à base de légumes cuits à basse température, présentés dans un emballage simple, qui passent en deux ans, de 1987 à 1989, de 0 à 50 000 tonnes.

On détecte simultanément des tendances lourdes, comme la diminution de la consommation de pain, de pomme de terre, de légumes secs et de vin, et, en revanche, l'augmentation des viandes, des volailles, des fromages, des fruits et des légumes verts. On recherche désormais une nourriture équilibrée et légère, d'où le succès des produits allégés dont la mode tend à rendre quelque peu désuet le thème de la supériorité de la viande. Voilà pour les habitudes de consommation.

Pour ce qui est de la production, les techniques culturales connaissent également de grands « progrès » qui se traduisent par l'intensification des cultures, l'enrichissement des sols maraîchers, l'adoption de matériel spécialisé, la généralisation de l'irrigation et un parc de serres qui s'accroît de façon exponentielle. Si les serres se construisent dès 1956-1957, leur parc ne prend son essor qu'avec l'emploi des matières plastiques dans les années 1960 ; actuellement, 99 % des concombres, 63 % des tomates, 31 % des laitues et 13 % des melons sont produits sous serres plastiques.

Le système de distribution s'est également profondément modifié. C'est par l'épicier que passaient 40 % des tractations de légumes en 1960 ; il n'en représente plus aujourd'hui que 10 % ; 54 % des dépenses d'alimentation sont réalisées dans les hypermarchés, supermarchés et supérettes, et 35 % dans les marchés ou les magasins de primeurs. Le volume total annuel de la production légumière est d'environ 10 millions de tonnes, dont un peu plus du tiers pour les pommes de terre de conservation. La valeur de la production nationale des fruits et légumes avoisine 39 milliards de francs, soit 13 % de la production agricole nationale.

L'évolution technologique de la société, la mécanisation du travail, la maîtrise des conditions d'ambiance (chauffage des locaux), l'évolution des moyens de transports qui épargnent le travail musculaire ont entraîné une baisse de la consommation alimentaire ; la consommation calorique quotidienne, qui était naguère en moyenne de 3 000 calories chez l'homme et de 2 400 calories chez la femme, est tombée à 2 200 calories chez le premier et à 1 800 calories chez la seconde.

L'évolution de la ration alimentaire tend donc à

la baisse, la qualité étant censée prévaloir sur la quantité. Mais de quelle qualité s'agit-il au juste ? La modernisation des techniques de production a, en effet, profondément modifié la composition des produits, notamment au détriment de leur teneur en vitamines et en oligo-éléments. De sorte qu'à la belle apparence de nos légumes s'oppose l'érosion de leur valeur alimentaire réelle. Nos aliments cultivés sur des sols appauvris et perturbés par des charges chimiques toujours croissantes sont carencés, et leur consommation induit à son tour chez l'individu de multiples symptômes de carence.

CHAPITRE XII

Culture intensive ou agrobiologie

Un vif débat oppose depuis des années les tenants de l'agriculture chimique au groupe minoritaire des agrobiologistes. Les seconds reprochent aux premiers les excès d'épandages chimiques rendus nécessaires pour des productions de masse, qu'il s'agisse d'herbicides, de fongicides, de pesticides ou tout simplement d'engrais azotés, phosphatés ou potassiques. Les premiers font valoir l'incontestable qualité de leurs produits, incomparablement plus appétissants que les fruits ou légumes du marché « agrobio ». Qu'en est-il au juste de cette polémique ? Les points de vue sont-ils conciliables ? Qui a tort ? Qui a raison ?

En vérité, le consommateur règne sur le marché et le marché détient sur lui. Les exigences du bel aspect, d'un état sanitaire apparemment parfait, de la belle taille, de la belle couleur et de la grande abondance des légumes impliquent de sévères contraintes au niveau de la production : irrigation, utilisation des engrais chimiques, des produits phytosanitaires et, pour certaines productions de contre-saison, procédés de culture sous serres avec ou sans sol.

Rendement ou qualité ?

L'utilisation massive d'engrais pose un problème qui n'a jamais vraiment pu être résolu, celui du rapport rendement/qualité. Il n'y a pas, en effet, de commune mesure entre les doses d'apports chimiques assurant la meilleure qualité et celles qui assurent le plus fort rendement, lesquelles sont nettement supérieures ; en d'autres termes, le rendement est proportionnel à la quantité des apports : plus il y a de chimie, meilleur il est. Or, au fur et à mesure que le rendement augmente, les légumes sont carencés en oligo-éléments par l'excès d'engrais et les modifications du sol que ceux-ci génèrent. Un excès d'engrais azotés bloque le cuivre et le bore dans le sol, et ces deux oligo-éléments ne sont plus absorbés par les poils racinaires ; or, le bore facilite l'assimilation du calcium : lorsqu'il fait défaut, elle devient insuffisante. De son côté, l'excès d'engrais potassiques entraîne des carences en magnésium, en manganèse et en cuivre, ainsi qu'en vitamines A, B et C. Quant à l'excès de phosphore — le troisième de la trilogie des engrais : azote, potassium, phosphore —, lui aussi entraîne quelquefois des carences en cuivre.

Pour la majorité des productions maraîchères, de trop fortes doses d'engrais azotés diminuent les facultés de conservation après récolte ainsi que les facultés de résistance aux parasites. De sorte que de trop fortes quantités d'engrais appellent de forts épandages de pesticides.

Les carences induites se traduisent chez l'individu par de multiples dysfonctionnements : céphalées, névralgies, fragilités capillaires, sensibilité aux rayonnements solaires pour les carences en vitamines ; perte de vitalité, difficulté de cicatrisation pour les carences en sélénium et en manganèse ; ralentissement de la calcification et difficulté dans les phénomènes de détoxication pour les carences en silice ; relâchement du myocarde pour les carences en sodium ; maladie des ongles et des cheveux pour les carences en soufre ; fragilité des os et spasmophilie pour les carences en calcium ; diminution des défenses naturelles, de la résistance aux agressions et au stress pour les carences en cuivre et en magnésium.

À cette pauvreté en éléments indispensables s'ajoute une exceptionnelle richesse en azote, en potassium et en phosphore, et plus encore en résidus phytosanitaires. Dans l'organisme, les nitrates sont réduits en nitrites ; ceux-ci peuvent altérer le fonctionnement de la thyroïde qui règle la conversion du carotène en vitamine A, laquelle dès lors s'effectue mal. Il en résulte une diminution de la résistance à la cancérisation, puisque la vitamine A est anticancérigène, et, réciproquement, une augmentation de l'aptitude à la cancérisation, puisque le carotène est un facteur de cancérogénèse. En outre, la résistance au stress, qui consomme beaucoup de vitamine A, est diminuée, puisque le

processus biologique de biosynthèse de la vitamine A se trouve altéré.

Dans la bouche, au contact de la salive, et dans
l'estomac, les nitrates sont transformés en nitrosa-
mine, laquelle transforme l'hémoglobine en méthé-
moglobine. Les propriétés cancérogènes des nitro-
samines et de leurs dérivés méthylés sont par
ailleurs bien connues. On a pu montrer en effet,
qu'elles avaient des effets inducteurs de mutation
chromosomique chez les animaux.

Quant aux pesticides, ils sont uniformément
répandus au point qu'on en trouve même sur des
produits de l'agriculture biologique qui n'ont pas
été soumis à traitement : preuve que ces substances
se dissipent dans l'air et se dispersent bien au-delà
de leur lieu d'épandage. Ces corps se fixent dans
les graisses où ils sont stockés ; mais des accidents
peuvent survenir lorsque l'organisme mobilise
beaucoup de graisses. Il n'est alors pas rare que
l'aldrine et la dieldrine provoquent des vomissements, des vertiges, voire des maux de tête qui
s'arrêtent lorsque la fixation dans les graisses est
assurée. Ces produits sont toujours présents — à
faible teneur, certes — dans les légumes ; ils
peuvent former une combinaison stable avec des
oligo-éléments, le lithium par exemple, et priver
ainsi ce dernier de toute activité biologique sur le
système nerveux, son champ d'action.

Lorsqu'ils sont absorbés avec la nourriture, les
fongicides à base de thiocarbamate sont transformés par l'organisme en dérivés de nature can-
cérigène.

Tous ces produits ne sont certes présents qu'à l'état de traces dans les aliments et l'on peut se demander si leurs effets ne doivent pas être considérés comme négligeables. Mais l'homéopathie nous instruit des effets des éléments à l'état de traces sur les organismes. La plus grande prudence est par conséquent de rigueur.

Alimentation et cancer

Une conclusion s'impose à l'évidence : la trop forte charge chimique des environnements et des aliments peut être mise en rapport avec la montée inexorable des cancers dans les pays avancés. Depuis les années 1960, l'agriculture comme l'horticulture ont eu la main très lourde ; elles se trouvent amenées aujourd'hui à des révisions déchirantes. Peut-on continuer à sacrifier délibérément la qualité au rendement ? et à l'apparence ? Il est notoire que les critères de sélection qui conduisent aux légumes exposés sur le marché ne prennent jamais en compte leur qualité nutritionnelle et moins encore leur teneur en oligo-éléments, pourtant indispensables au bon fonctionnement de l'organisme. Les vitamines A, B1, B2, B3, C, sont réduites au tiers, voire au dixième de leur teneur moyenne dans la plupart des légumes. La vitamine E est à peu près éliminée des laitues, des petits pois, des pommes et du persil. La vitamine PP a disparu dans les fraises, etc. Qui s'en préoccupe ?

Il apparaît aujourd'hui que la plupart des maladies qui tuent prématurément — notamment les maladies cardio-vasculaires et de nombreux cancers — pourraient être évitées ou en tout cas retardées grâce à un changement de nos habitudes alimentaires. Mais il faut pour cela des aliments aussi peu transformés que faire se peut, ce qui va exactement à l'encontre de toutes les pratiques culturales et alimentaires contemporaines où l'aliment produit par la chimie intensive et transformé ensuite par d'autres artifices chimiques occupe une place de plus en plus prédominante.

La diminution des fibres alimentaires dans une alimentation de type occidental a des conséquences que l'on commence seulement à soupçonner. La notion de fibres regroupe un ensemble de substrats d'origine glucidique peu digestibles dans l'intestin grêle, mais dégradables par la flore micro bienne du gros intestin ; ces produits sont contenus dans les fruits et légumes, les céréales et les légumineuses. La baisse de la consommation de pain et un raffinage plus poussé des farines ont entraîné une diminution importante de l'ingestion de fibres. Pourtant, on sait aujourd'hui qu'une alimentation équilibrée en produits végétaux variés, et notamment en fibres, permet de prévenir dans une large mesure la pathologie du côlon. C'est ce que prouvent en tout cas des enquêtes épidémiologiques effectuées sur des populations à forte tendance végétarienne.

Il est reconnu par ailleurs que les régimes riches en produits végétaux ont des effets bénéfiques sur les lipides sanguins et limitent les problèmes d'artériosclérose, en particulier par l'apport en acides gras insaturés et en fibres. Une alimentation riche en glucides lentement assimilables et en fibres variées permet aussi de combattre l'obésité et le diabète de l'âge mûr.

Il est surprenant de constater que dans l'évaluation de la qualité des légumes ne sont jamais pris en compte leurs constituants « minoritaires », c'est-à-dire toutes ces molécules résultant du métabolisme dit « secondaire[1] » caractéristique des végétaux : tannins, polyphénols, flavonoïdes, hétérosides, etc. Or, ces principes jouent un rôle essentiel dans les propriétés thérapeutiques des plantes. Tout se passe comme si un divorce avait été prononcé qui sépare, d'une part, les aliments et leur chimie directement reliée au métabolisme fondamental dit « primaire » (glucides, lipides, protides, auxquels s'ajoutent les vitamines et les oligo-éléments) et, d'autre part, les plantes médicamenteuses où l'on prend surtout en compte les effets thérapeutiques des autres principes. Or, on commence à découvrir que ces principes jouent

---

1. On qualifie de métabolisme primaire le métabolisme commun à tous les êtres vivants, et notamment celui des glucides, des lipides et des protides. Mais les plantes ont des possibilités métaboliques beaucoup plus larges conduisant à d'innombrables molécules qui leur sont spécifiques — ou qui sont très souvent spécifiques à certaines d'entre elles : le métabolisme du soufre dans l'ail et l'oignon, par exemple ; celui des caroténoïdes dans la tomate, etc.

également un rôle non négligeable dans la valeur et la qualité des aliments.

Il est, en effet, acquis que les légumes, par les molécules du métabolisme secondaire qu'ils contiennent, avec souvent des noyaux aromatiques, jouent un rôle protecteur à long terme ; c'est là un concept en voie de développement et dont l'origine est toute récente.

Les antioxydants, en particulier, une fois absorbés, agissent en synergie avec les systèmes de protection de la cellule animale pour neutraliser la production de radicaux libres très réactifs qui joueraient un rôle important dans la genèse du cancer, de l'artériosclérose, ainsi que dans le vieillissement cellulaire ; aussi la protection offerte par les antioxydants d'origine végétale suscite-t-elle aujourd'hui un intérêt considérable.

Les nombreuses substances à structures caroténoïdes contenues dans les fruits et les légumes colorés peuvent jouer un rôle anti-infectieux en stimulant les défenses immunitaires, et même prévenir l'apparition de certains cancers de la peau et des poumons. Bien d'autres substances végétales du métabolisme secondaire pourraient également diminuer la formation de carcinogènes, s'opposer à leur action ou favoriser leur élimination et, en dernier lieu, inhiber par conséquent certaines activités néoplasiques : organosulfurés de l'ail, de l'oignon et des choux, flavonoïdes, terpènes.

Il est en outre probable que les propriétés anticancéreuses résultent de l'effet simultané et complémentaire de diverses molécules aux effets synergiques que l'approche pharmacologique a du mal à mettre en évidence, en ce qu'elle recherche toujours la molécule la plus active et elle seule. Une notion s'impose en tout cas avec force : une nourriture variée, riche en fruits et légumes de qualité — ce qui requiert certaines normes de production, de récolte et de conservation — pourrait prévenir de nombreux cancers.

L'« effet santé » des aliments

Afin de préserver la santé, il serait donc plus efficace de valoriser les « effets santé » des aliments en mettant en avant leurs vertus protectrices, plutôt que d'insister sur certains facteurs de risques (peur du cholestérol, par exemple) ou sur des allégations nutritionnelles très ponctuelles. On retrouve ici une notion propre à la tradition chinoise qui veut que l'alimentation joue un rôle préventif, tandis que les médicaments jouent un rôle curatif. La notion d'« effet santé », d'effet préventif des produits végétaux fait aujourd'hui l'objet de nombreuses recherches. Bien des constituants des plantes, ceux du métabolisme primaire comme ceux du métabolisme secondaire, possèdent des effets qu'il convient de reconnaître et d'assembler comme les pièces d'un puzzle. Sous l'angle de la santé, on ne peut que s'étonner que l'homme ait pu développer un arsenal pharmacologique des plus sophistiqués, alors qu'il n'a pas suffisamment exploré la complicité des aliments qui lui sont pourtant tout aussi indispensables. Tout se passe comme si nous avions à notre disposition beaucoup de « molécules de sécurité » que, pour des raisons diverses, les habitudes alimentaires nous ont peu à peu conduits à délaisser ; de ce point de vue, les pratiques du raffinage, de l'allègement et les multiples traitements subis par les aliments peuvent avoir des conséquences tout à fait négatives. L'appauvrissement des aliments en constituants naturels et l'aggravation de la charge chimique globale des environnements est, à n'en pas douter, la cause principale de la progression constante des cancers dans les sociétés modernes.

La lente mais constante montée en puissance de l'agriculture biologique offre certes une solution de rechange éminemment sympathique, mais qui demeure malheureusement encore marginale. On reprochera aux agrobiologistes de négliger par trop les apparences auxquelles le consommateur moderne est très sensible. Toutefois, en dépit de ces faiblesses (normes peu homogènes, marché irrégulier et peu abondant, apparence parfois désagréable, manque de soin dans le choix des emballages, etc.), l'agriculture biologique reste pour l'heure la seule alternative réelle et crédible à l'agriculture chimique.

Même s'ils ne peuvent être évalués en chiffres, les risques de l'agriculture chimique pour la santé n'en sont pas moins redoutables. Entendons-nous bien : il s'agit moins de critiquer ici les légumes anciens et nouveaux produits par le maraîchage que de remettre radicalement en cause les méthodes utilisées pour les obtenir. On aimerait que le génie écologique se substitue au génie génétique, ou qu'à tout le moins l'un et l'autre fassent bon ménage !

Une règle s'impose en tout cas avec force : les légumes sont des aliments tout à fait indispensables ; en en consommant de toutes variétés, on offre à l'organisme le panel des structures chimiques nécessaires à la santé ; la règle de l'alimentation diversifiée, si classique en diététique, joue ici à plein.

CHAPITRE XIII

Plaidoyer pour la diversité

Si l'agriculture biologique est l'une des tendances nouvelles sur le marché des fruits et légumes, il en est une autre, aisément décelable, en faveur des légumes d'autrefois. Car l'agriculture chimique n'a cessé de tendre vers une normalisation et une standardisation des produits accessibles sur le marché en réduisant considérablement leur diversité, donc le choix offert au consommateur. Alors que l'on constate qu'il n'y a plus deux voitures semblables, tant les constructeurs s'ingénient à diversifier les types, les gammes, les modèles, les séries, les couleurs, les accessoires pour personnaliser chacune, on ne peut qu'être frappé du peu de choix offert sur les étals des hypermarchés : deux variétés de pêche ou de tomate, rarement davantage. Or, rien qu'en Europe, près de 1 200 espèces de plantes ont été utilisées par nos ancêtres pour se nourrir. Ces chiffres sont tombés aujourd'hui à quelques dizaines, ceux précisément qui ont été présentés dans le corps de ce livre. Actuellement, grainetiers et pépiniéristes ne proposent guère plus de 60 espèces et variétés légumières, et 20 au plus de fruitières.

Mais voici qu'on note un regain d'intérêt pour les légumes rares et oubliés. Plusieurs ouvrages récents leur ont été consacrés[1]. Parmi ces légumes anciens, certains n'ont plus qu'un intérêt purement historique, mais d'autres présentent un réel intérêt sur le plan nutritionnel.

Rappelons-nous les 38 % de protéines présentes dans le poids sec de l'ortie, et souvenons-nous que le cynorhodon (fruit de l'églantier) ou le karkadet contiennent de dix à cinquante fois plus de vitamine C que les oranges ! Parmi ces légumes oubliés, certains peuvent se prêter à une culture commerciale, pour autant qu'un marché existe ou soit créé ; d'autres sont davantage adaptés à une culture potagère familiale pour l'autoconsommation ; d'autres enfin resteront des légumes de cueillette au même titre que les pissenlits aujourd'hui. Voici une sélection d'une vingtaine de ces légumes oubliés, mais non dépourvus d'intérêt.

Les légumes oubliés

Parmi les légumes racines, citons le panais[2], couramment utilisé en Grande-Bretagne ou aux

1. François COUPLAN, *Retrouver les légumes oubliés*, éd. La Maison rustique, Paris, 1986. Victor RENAUD, *Les Légumes rares et oubliés*, éd. Rustica, Paris, 1991.
2. *Pastinaca sativa*, apiacées

États-Unis, le cerfeuil tubéreux[1], légume très fin, d'une agréable saveur anisée, le crosne du Japon[2], une labiée introduite du Japon à Crosne, dans l'Essonne, au siècle dernier, d'où son nom.

Parmi les légumes feuilles que l'irruption de l'épinard a mis en déroute, on signalera d'abord plusieurs cousins de l'épinard appartenant comme lui à la famille des chénopodiacées : l'arroche des jardins[3], très proche de l'épinard ; le chénopode blanc[4], une mauvaise herbe de tous les jardins cultivés, comestible crue ou cuite, savoureuse et très riche en protéines ; le Bon-Henri ou épinard vivace[5] ; la queue-de-renard ou amarante à queue[6], dont les petites graines roses constituaient une importante céréale pour les Aztèques. L'amarante est, de surcroît, riche en protéines et fréquemment cultivée comme espèce ornementale. Ajoutons encore la consoude[7], dont les feuilles sont riches en protéines et en vitamine B12, très consommée aux États-Unis et dont on fait des filets à goût de sole, et bien entendu l'ortie[8], dont la richesse en protéines a déjà été signalée.

Parmi les salades, on retiendra le pourpier[9],

1. *Chaerophyllum sativum*, apiacées.
2. *Stachys affinis*, lamiacées.
3. *Atriplex hortensis*, chénopodiacées.
4. *Chenopodium album*, chénopodiacées.
5. *Chenopodium bonus Henricus*, chénopodiacées.
6. *Amarantus caudatus*, amarantacées.
7. *Symphytum officinale*, borraginacées.
8. *Urtica dioica*, urticacées.
9. *Porculacca oleracea*, portulacacées.

salade charnue et acidulée, faite avec une mauvaise herbe des potagers, et la glaciale[1], dont les poils translucides évoquent des cristaux de glace : sa saveur acidulée est très agréable.

Parmi les pousses, citons les pousses de houblon[2] spontanées, tendres, aromatiques et légèrement amères.

Parmi les gousses, le tétragonolobe[3], plante méditerranéenne dont les jeunes gousses se mangent comme de petits haricots verts.

Parmi les fleurs, à retenir la fleur de capucine[4], à saveur de cresson, aromatique et piquante, et la bourrache[5], dont les fleurs sont utilisées tradition-nellement pour parfumer les boissons ; elles pos-sèdent une saveur d'huître assez curieuse.

Plaidoyer pour la diversité

Le catalogue Vilmorin-Andrieux de 1883 présen-tait 200 espèces de fruits et de légumes consom-mées couramment jusqu'au siècle dernier. Il n'en subsiste plus qu'une trentaine dans nos cultures semi-industrielles. Comme pour les chefs-d'œuvre en péril, de multiples initiatives se développent en vue de la réhabilitation des bonnes herbes. SOS

1. *Mesembryanthemum crystallinum*, aizoacées.
2. *Humulus lupulus*, cannabiracées.
3. *Tetragonolobus purpureus*, papilionacées.
4. *Tropaeolum majus*, tropéolacées.
5. *Borrago officinalis*, borraginacées.

Racines est le mot d'ordre d'une association mobilisée en ce sens ! Aussi peut-on imaginer qu'à la grande monotonie des étals et des approvisionnements actuels dans la grande distribution se substitueront, dans les années qui viennent, des rayonnages à mosaïque offrant au consommateur non pas plusieurs dizaines, mais plusieurs centaines d'espèces et de variétés différentes. L'écologie plaide, ici comme ailleurs, pour la diversité, la capacité de choisir. La diversité reste la règle fondamentale de l'alimentation, les nutriments essentiels étant fournis par des aliments multiples qui se compensent mutuellement, chacun apportant son contingent d'éléments nutritionnels.

Le domaine de Balandron, près de Nîmes, est une sorte d'arche de Noé dont les habitants seraient des plantes et non des animaux. On y fait collection d'espèces rares et de minilégumes. Citons au hasard, parmi ceux-ci, des courges en forme de poire, des coquerets du Pérou dont les baies sont destinées aux confitures, le maïs bleu dont les graines se dégustent en amuse-gueule, les panais, l'amarante dont les feuilles se consomment à la manière des épinards et les graines comme celles du millet. Sauvegarder les espèces rares et menacées ; sauver de l'oubli les légumes qui depuis des décennies n'intéressent plus les chercheurs sélectionneurs, et qui du coup n'intéressent plus personne ; appliquer le principe de biodiversité, c'est-à-dire redécouvrir la richesse foisonnante de la vie, ici au niveau des légumes qu'il convient de diversifier et non de standardiser ; ne plus tricher sur la chimie qui, à terme, épuise les sols, et du même coup les plantes qu'ils abritent — tels sont les éléments d'un ambitieux programme pour le maraîchage de demain. Un programme que la lente mais sûre dérive de l'économie vers des pratiques plus conformes aux règles de l'écologie rend aujourd'hui crédible et rendra demain nécessaire et urgent.

CONCLUSION

Les Français consomment chaque année environ 160 kg de légumes, chiffre impressionnant et révélateur ; d'où l'importance primordiale du sujet. Les modifications des conditions de vie, on l'a dit, entraînent une diminution des besoins énergétiques de l'homme moderne ; la valeur calorique de son alimentation doit donc baisser. Tel est bien le propos des aliments allégés, dont la mode s'est propagée avec une extraordinaire rapidité. Dans ces stratégies de l'« allègement » de la ration calorique, les légumes verts tiennent une bonne place : leur valeur énergétique est faible, alors que leurs apports en vitamines, en oligo-éléments et en micronutriments « protecteurs » sont importants.

Mais théoriquement seulement... On devrait même dire : historiquement. Car les progrès techniques, en particulier les épandages chimiques, ont modifié les sols en même temps que les capacités d'absorption racinaire Tandis que de gros efforts étaient déployés pour valoriser les rendements et les qualités apparentes, les qualités nutritionnelles étaient au contraire négligées. Celles-ci supposent le développement d'une autre agriculture, et les balbutiements de l'agriculture biologique constituent d'ores et déjà l'amorce d'une solution de rechange à l'agriculture intensive qui produit, au moyen d'engrais et de pesticides, des légumes souvent appauvris en constituants nutritifs. S'impose donc dès à présent la prise en considération d'autres critères d'évaluation de la qualité.

Mais nous sommes ici dans un domaine étonnamment inexploré ; car, au fur et à mesure que l'homme affirme sa maîtrise sur l'environnement grâce à des moyens techniques toujours plus perfectionnés relevant des sciences en « ique », la science de l'alimentation, qui vise à la maîtrise du corps dans ses rapports avec l'âme et l'esprit, est restée curieusement en jachère. Dans leur ouvrage, Stella et Joël de Rosnay[1] plaidaient pour la naissance d'une « nutritique » et d'une « bionomie », science de la gestion de l'organisme. Comme l'économie suppose une bonne gestion de la maison, la bionomie viserait à une bonne gestion de notre maison la plus intime : notre corps, gestion que chacun se doit d'inventer d'abord pour lui-même, pour sa santé.

Les anciennes médecines de l'Inde et de la Chine considéraient l'alimentation comme l'un des facteurs primordiaux de la santé : on guérissait par des médicaments, mais aussi et surtout par les

1. Stella et Joël DE ROSNAY, *La Mal-bouffe*, éd. Olivier Orban, 1979.

aliments. Nous sommes loin de cette vision globale dans notre monde segmenté et parcellisé. Pourtant, le véritable équilibre corps-âme-esprit passe par la prise en compte de la qualité des aliments et de leur apport en nutriments essentiels. Les légumes représentent une part fondamentale dans ces apports, mais se pose aujourd'hui le problème crucial de leur qualité. Le temps est révolu où l'on ne prenait en compte que la valeur calorique des aliments. On sait, en effet, aujourd'hui que les légumes agissent par de nombreuses molécules encore insuffisamment connues, jouant un rôle protecteur irremplaçable dans la prévention de maladies graves telles que l'artériosclérose et le cancer. Vouloir classer les légumes en vertu de leur seule valeur calorique serait donc illusoire : il convient de tenir compte de leur valeur globale, à laquelle contribuent de multiples molécules ou micronutriments dont on mesure chaque jour davantage l'intérêt.

La recherche de la qualité des productions légumières par des méthodes moins traumatisantes pour les sols et les plantes est l'une des grandes orientations modernes de l'écologie. La qualité et la diversité des légumes dépendent étroitement de l'avenir des pratiques culturales. Gageons que la crise de l'agriculture moderne débouchera sur une prise en compte plus attentive des critères de qualité de nos aliments, en particulier de nos légumes.

Annexes

Leurs légumes préférés

Auguste	le concombre
Claude	les champignons
Dioclétien	le chou, la laitue
Flaubert	les petits pois
Fontenelle	les asperges
Henri III	les asperges, les artichauts
Henri IV	le melon
Louis XIV	les salades, les petits pois, le melon, les asperges
Louis XVIII	les épinards
Catherine de Médicis ...	les artichauts
Montaigne	le melon
Napoléon	le haricot
Néron	les poireaux
Platon	les olives
Tibère	le concombre

Les noms latins de vos légumes

Ail	*Allium cepa*	Liliacées
Artichaut	*Cynara scolymus*	Astéracées (composées)
Asperge	*Asparagus officinalis*	Liliacées
Aubergine	*Solanum melongena*	Solanacées
Bette	*Beta vulgaris* var. *cicla*	Chénopodiacées
Betterave	*Beta vulgaris* var. *crassa*	Chénopodiacées
Carotte	*Daucus carota*	Apiacées (ombellifères)
Céleri	*Apium graveolens*	Apiacées (ombellifères)
Chicorée frisée	*Cichorium endivia*	Astéracées (composées)
Chicorée endive	*Cichorium intybus* var. *foliosum*	Astéracées (composées)
Chou	*Brassica oleracea*	Brassicacées (crucifères)
Chou pommé	var. *capitata*	
Chou de Milan	var. *sabauda*	
Chou de Bruxelles	var. *gemmifera*	
Chou frisé (non pommé)	var. *acephala*	
Chou-rave	var. *gongylodes*	
Brocoli	var. *asparagoides*	
Chou-fleur	var. *botrytis*	
Ciboule	*Allium fistulosum*	Liliacées
Ciboulette	*Allium schœnoprasum*	Liliacées
Citrouille	*Cucurbita annum*	Solanacées
Concombre	*Cucumis sativus*	Cucurbitacées
Cornichon	*Cucumis sativus*	Cucurbitacées
Courge	*Cucurbita pepo*	Cucurbitacées

Cresson de fontaine	*Nasturtium officinale*	Brassicacées (crucifères)
Échalote	*Allium ascalonicum*	Liliacées
Fève	*Faba vulgaris*	Fabacées (papilionacées)
Haricot	*Phaseolus vulgaris*	Fabacées (papilionacées)
Laitue	*Lactuca sativa*	Astéracées (composées)
Laitue pommée	var. *capitata*	
Laitue glaciale	var. *capitata nidus jaggeri*	
Laitue à couper	var. *crispa*	
Laitue romaine	var. *longifolia*	
Lentille	*Ervum lens*	Fabacées
Mâche	*Valérianella olitoria*	Valérianacées
Melon	*Cucumis melo*	Cucurbitacées
Oignon	*Allium cepa*	Liliacées
Oseille	*Rumex acetosa*	Polygonacées
Pastèque	*Citrullus vulgaris*	Cucurbitacées
Persil	*Petroselinum sativum*	Apiacées (ombellifères)
Gros piment	*Capsicum annum*	Solanacées
Petit piment	*Capsicum frutescens*	Solanacées
Pissenlit	*Taraxacum dens leonis*	Astéracées (Composées)
Poireau	*Allium porrum*	Liliacées
Pois	*Pisum sativum*	Fabacées (papilionacées)
Pomme de terre	*Solanum tuberosum*	Solanacées
Potiron	*Cucurbita maxima*	Cucurbitacées
Radis	*Raphanus sativus*	Brassicacées
Salsifis	*Tragopogon porrifolius*	Astéracées (composées)
Scorsonère	*Scorzonera hispanica*	Astéracées (composées)
Soja	*Glycine soja*	Fabacées (papilionacées)
Tomate	*Lycopersicon esculentum*	Solanacées
Topinambour	*Helianthus tuberosus*	Astéracées (composées)

Teneur en vitamines dans les légumes

(pour 100 g de matières comestibles)

	A	B1	B2	C	D	E
Ail	10	5	3	100	—	—
Artichaut	10	10	10	20	—	—
Asperge	20	5	4	60	—	—
Aubergine.	3	6	50	80	—	—
Bette.	115	9	60	90	—	—
Betterave	10	10	2	25	—	—
Carotte.	80	9	3	14	—	—
Céleri vert	50	1	—	200	—	—
Chicorée	600	15	7	85	—	—
Chou	15	16	8	125	—	—
Chou de Bruxelles	15	16	8	200	—	—
Chou-fleur	50	16	8	100	—	—
Citrouille, courge, courgette	100	5	6	20	—	—
Concombre	1	8	6	40	—	—
Cresson	55	14	14	400	—	60
Endive	400	—	—	100	—	—
Épinard.	500	20	8	100	—	—
Haricots secs	5	32	17	2	—	17
Haricots verts.	25	6	3	33	—	1
Laitue.	120	20	14	130	—	100
Lentilles	10	30	20	14	—	15

	A	B1	B2	C	D	E
Melon...........	12	6	5	50	—	—
Navet..........	1	6	3	100	—	—
Oignon.........	3	11	6	80	—	—
Oseille	200	15	7	300	—	—
Panais..........	1	14	10	85	—	—
Pastèque........	5	4	2	10	—	—
Persil	3 000	8	10	800	—	—
Piment	200	—	—	500	—	—
Pissenlit	800	30	18	250	—	—
Poireau.........	10	12	10	200	—	—
Pois frais	50	30	8	80	—	—
Pois secs........	60	70	20	—	—	—
Pomme de terre...	1	10	5	60	—	—
Radis	—	—	—	250	—	—
Soja	80	150	160	50	1	35
Tomate.........	26	12	4	160	—	—
Topinambour.....	—	10	—	25	2	—

12 recettes dûment éprouvées

Cholestérol

Exprimer le suc de racines de pissentit. Ajouter, pour 100 g de suc, 18 g d'alcool à 90°, 15 g de glycérine et 17 g d'eau. Filtrer. Prendre 1 ou 2 cuillerées à soupe par jour. Accompagner ce traitement par une cure d'aubergine et d'artichaut.

Constipation

La carotte est aussi efficace contre la constipation que contre la diarrhée : à consommer cuite à l'eau.

Contre la toux

Sirop de radis noir : placer dans une terrine des couches alternées de rondelles de radis noir et de sucre candi. Le lendemain, un sirop abondant se sera formé. Filtrer et prendre 6 cuillerées à soupe par jour. Ce sirop est aussi un tonique pour les enfants et les adolescents.

Diarrhée

La carotte est la grande amie de l'intestin ; elle pourra être utilisée dans les mêmes conditions en cas de constipation et de diarrhée. On la consomme cuite à l'eau. Contre la diarrhée, choisir comme boisson d'accompagnement du thé noir et, comme plat de résistance, du riz cuit à l'eau, consommé avec l'eau de cuisson.

Ébriété

Croquer quelques feuilles de chou cru avant la consommation d'alcool... ou après

Fortifiant

Un verre par jour de jus de betterave rouge crue.

Hypertension

Hacher 2 gousses d'ail avec quelques branches de persil et ajouter quelques gouttes d'huile d'olive le soir (le persil est destiné à atténuer le goût de l'ail). Le lendemain matin, en faire une tartine pour le petit déjeuner.

Hypoglycémiant

Accompagner le traitement antidiabétique prescrit par le médecin par une forte consommation d'oignons.

Insuffisance hépatique

50 g de racines et de feuilles de pissenlit récoltées de préférence à la fin de l'été sont coupées et mises dans un litre d'eau. Laisser bouillir 2 minutes, puis infuser 10 minutes. Filtrer et consommer 3 tasses par jour avant les repas.

Insuffisance rénale

Faire macérer 30 g de racines de poireau dans un litre de vin blanc durant 10 jours ; filtrer et consommer un verre à bordeaux chaque matin.

Parasites intestinaux

Laisser macérer 6 jours un gros oignon dans un litre de vin blanc. Prendre un verre chaque matin au lever pendant une semaine.

Soin de la peau

Écraser dans un mortier 50 g d'amandes douces décortiquées ; verser dessus lentement 250 g de jus de concombre bouilli et refroidi ; passer à travers un linge. Ajouter 250 g d'alcool et 1 g d'essence de rose ; appliquer en lotion.

BIBLIOGRAPHIE

BLOND G. et G., *Festins de tous les temps. Histoire pittoresque de notre alimentation*, Librairie Arthème Fayard, 1976.

BOIS D., *Les Plantes alimentaires chez tous les peuples et à travers les âges. Histoire, utilisation, culture. Phanérogames légumières*, éditions Paul Lechevalier, Paris, 1927.

CANDOLLE A. (de), *Origine des plantes cultivées*, Ancienne librairie Germer Baillière et Cie, Paris, 1883. Réédition chez éditions Jeanne Laffitte, Marseille, 1991.

COUPLAN F., *Retrouver les légumes oubliés*, éd. La Maison rustique, 1986.

DESBROSSES J., *Les Secrets de l'alimentation saine*, Édition du Rocher, « Équilibre », 1991.

GUYOT L., *Histoire des plantes cultivées*, Librairie Armand Colin, 1963.

HAUDRICOURT A.-G. et HEDIN L., *L'Homme et les Plantes cultivées*, éditions A.-M. Métailié, Paris, 1987.

HECKEL E., *Sur les origines de la pomme de terre cultivée et sur les mutations gemmaires cultu-*

rales des Solanum tubérifères sauvages, Marseille, 1907.

LECLERC H., *Les Légumes de France. Leur histoire, leurs usages alimentaires, leurs vertus thérapeutiques*, éditions Masson, réédition , 1984.

LEROY A., *Culture des alliacées potagères. Oignon - Poireau - Ail - Échalote - Ciboule*, Librairie Hachette, Bibliothèque de la Vie pratique, 1941.

MEILLER D. et VANNIER P., *Le Grand Livre des fruits et légumes. Histoire, culture et usages*, éditions La Manufacture, 1991.

NÈGRE R., *L'Alimentation, risque majeur*, éd. Ellipses, 1990.

PARIS R.-R. et MOYSE H., *Précis de matière médicale*, tomes I, II, III, éditions Masson, 2ᵉ édition, 1976.

PEYRE P., *Sur les allium et les aulx*, Paris, 1946.

RENAUD V., *Les Légumes rares et oubliés*, éditions Rustica, 1991.

SAURY A., *Manuel diététique des fruits et légumes. Thérapeutique préventive et curative par l'alimentation quotidienne*, éditions Dangles, collection « Santé naturelle », 1979.

TRONICKOVA E., *Plantes potagères*, éditions Gründ, Paris, 1986.

VALNET J. (docteur), *Traitement des maladies par les légumes, les fruits et les céréales*, Maloine, 4ᵉ édition, 1973.

VALNET J. (docteur), *Aromathérapie. Traitement des maladies par les essences de plantes*, Maloine, 10ᵉ édition, 1984.

VILMORIN J.-B. (de), *Le Jardin des hommes. Vaga-*

Bibliographie

bondage à travers l'origine et l'histoire des plantes cultivées, éditions Belfond-Le Pré aux Clercs, 1991.

Vilmorin-Andrieux et Cie, *Les Plantes potagères. Description et culture des principaux légumes des climats tempérés*, éditions Vilmorin-Andrieux et Cie, Paris, 1891.

Actes du symposium, Angers, France, 17-19 octobre 1985, *La Diversité des plantes légumières : hier, aujourd'hui et demain*, Publications du Bureau des Ressources génétiques, *Journal d'agriculture traditionnelle et de botanique appliquée*, diffuseur : Lavoisier, Paris. *Légumes et Fruits, Du jardin du Roy au Jardin des Plantes*, « Terre sauvage », hors série n° 13, 1992.

Table

Composition réalisée par C.M.L., Montrouge
Achevé d'imprimer en mars 1993
sur presse CAMERON
dans les ateliers de B.C.A.
à Saint-Amand-Montrond (Cher)
pour le compte de la librairie Arthème Fayard
75, rue des Saints-Pères — 75006 Paris

ISBN : 2-213-03034-0
35-30-8978-03

N° d'édit. : 3664. N° d'imp. : 93/159.
Dépôt légal : mars 1993.

Imprimé en France

35-8978-5